長い腕

川崎草志

今は、もう、亡き人へ、
そして、今、共にある人へ

嘉永元年（一八四八年）

母屋の前庭で、鶴太《つるた》は熱心に木ぎれを削っていた。鶴太の父親は炭焼き窯《がま》に入れる木々の余分な枝に鉈《なた》を振るいながら、八歳になったばかりの息子がノミで手を切ったりしないかと、ちらちら見ていた。

日は既に沈み、空は赤から淡い紫色へと色を変えていく。

「お父チャ」

鶴太は自分の造った細工を父親に見せに行く。父親は、息子の手の中にあるものを見て、目を見開いた。

「一人で造ったか」

「お兄チャは手伝ってないぞ」

鶴太は、誇らしげに胸を張った。父親は細工を手に取り、山から出たばかりの月の光をあてて眺めた。そして、あらためて、その出来栄えにうなった。鶴太は、父親の褒め言葉を待った。

「早よ、入らんかね」

母親の声に、二人は母屋を振り返った。居間では、鶴太の兄や姉たち、幼い妹のお夢が、貧しいけれど暖かい夕食を囲んで、二人を待っていた。

第一部

現在（八月十日）東京都　総武線快速車内

混雑した車内で、初老の男が文庫本を遠慮がちに広げていた。勤め帰りの疲れた男女で混み合う車内にアナウンスが流れる。

『車内での携帯電話のご使用は、周りのお客様のご迷惑になります。携帯電話のご使用はご遠慮くださいますよう、お客様のご協力をお願いします』

男は、あわてて汗に濡《ぬ》れた胸のポケットを探った。携帯電話の電源は切られていた。ほっとして、再び読みかけの文庫本に目を落とす。最近、郊外と言うにはあまりに遠い場所に家を持ったこの男にとって、片道二時間を超える通勤時間は、貴重な一人だけの時間だった。

秋葉原《あきはばら》駅で新しい客が乗ってくる。

その中の若い男女が、何がおかしいのか大きな笑い声をあげながら初老の男の隣に立った。彼らは、初老の男には意味不明な会話を交わし始めた。

『重ねて、お願い致します。車内での携帯電話のご使用は、周りのお客様のご迷惑になります。携帯電話の電源はお切りください』

アナウンスが終わらない内に、車内に携帯電話の着信メロディが鳴り響いた。初老の男は、文庫本から目をあげ、眉《まゆ》をひそめた。隣に立った若い女が「ちょっと待っててね」と、自分のバッグを探り、笑いながら携帯電話を取り出すと耳に当てた。

「はい。もしもし……?」

「俺からだよ」若い男がポケットから携帯電話を出した。その液晶画面には、女の名前が出ている。

「いやだ」女が笑う。

初老のサラリーマンは、二人に聞こえないように、小さなため息を一つついたが、ふと、自分の方に近づいてくる帽子の男に気がついた。帽子には、アメリカの半導体メーカーのロゴがついている。その男の目を見た初老の男は、本能的に道をあけた。若い男女は、周りには無警戒に自分たちだけが理解できる会話を続けている。帽子の男は、そのカップルの前に立った。持っていた紙袋からサバイバルナイフを取り出し、特にためらうふうもなく、男の首に突き刺した。

血しぶきが女にかかった。

女は、何が起こったのか理解できないのか、まだ笑っていた。帽子の男は、若い男の首からナイフを引き抜くと、そのまま女の首に突き刺した。

あまりに突然のことで、あたりの乗客は悲鳴もあげなかった。ただ返り血を浴びた男の視線から逃れようと、静かに退避した。初老の男も隣の車両まで逃げ、そこで振り返った。帽子の男は、動かなくなったカップルのそばで、特に逃走しようとか身を隠そうとかしようともせず、ナイフを手に持ったまま、ぼんやりと立っている。

血だまりに倒れた男の手の中で、携帯電話の着信メロディが鳴り始めた。持ち主を送る曲にしては、あまりに間の抜けた曲だった。

同日　愛媛県　松山空港

二階の出発ロビーのガラスを磨く女の傍らを、サラリーマン風の男が「小さい空港だな」と呟《つぶや》きながら歩み去った。雑巾《ぞうきん》を手にした女は、その言葉に自分の職場の悪口を言われたような感じがして、少しむっとした。

女が、パートで空港の清掃を始めて二年になる。夫が遺《のこ》した保険金と遺族年金で十分暮らしていけるが、一人娘が高校に進学したのをきっかけに、この仕事を始めた。娘が大学に行くときの学費の足しになればと思って始めたのだが、もともときれい好きだった彼女は、ガラスでできた明るい空港の清掃業務が気に入っていた。外壁や高いところのガラスは専門の業者が磨いているが、ガラスのついたてのような簡単なものは、パートの清掃員でも洗える。

今日は、二階の出発ロビーを一人で清掃した。

この空港は吹き抜けになっている。二階のロビーからは、手すりを通して一階の様子が見える。一階の到着口から出て行く家族連れやサラリーマンたちが、バス乗り場に向かっていた。かわりにバスから降りた女子高生の一団がロビーに入ってくる。吹き抜けの空間では、天井からつるされた人力飛行機の模型がゆっくりと回っていた。

女は、時計を見た。勤務時間は過ぎていた。同僚は、とっくにいなくなっている。女は、あわてて一階に降り、トイレに入ると、掃除用の洗面台で殆《ほとん》ど真っ白と言っていい程きれいに雑巾を洗い、固く絞って清掃具用のコーナーにしまった。後は清掃会社の差し向けるバスを待つだけだった。

トイレから出て、女は驚いた。空港内は女子中学生、女子高校生で一杯になっていた。次々に到着するタクシーからは定員一杯の少女たちが降りてくる。

彼女は、清掃中にも……今日はなぜか制服が多い、どこかの修学旅行だろうか？……とは思っていた。しかし、今の空港ロビーには、松山市内中の女子中学生と女子高校生が集まっているように見える。娘と同じ学校の制服も見えた。彼女たちは、手に手に最近有名になったロックグループのグッズを持っている。

女の娘もこのグループの熱心なファンだった。母親にCDを聴かせながら、「あの人たちは自分のプライバシーを絶対に売らないの」と、何か自分のことのように誇らしく語っていたのを思い出す。

……なんとかいうロックグループが空港に来るのかしら……

ふと顔をあげると、さっき磨いた二階の手すりから女子高生たちが身を乗り出して、あたりを見ている。そこからは空港ロビー全体が見渡せる。

……この中に、あの子もいるのだろうか……

ほんの数分で、狭い空港ロビーは乗降客の通行に支障が出るほど混雑してきた。もう一台、少女たちで満載の空港バスが停まるのがガラス越しに見える。

やっとアナウンスが始まった。

『所属事務所への問い合わせで、松山空港から出発するというのは、デマということを確認しました。ご利用のお客様のご迷惑になりますので、ただちに空港建物から退去してください』

ひどい落胆の声があちこちで漏れた。

その時、「来た!」という声が一階から起こった。

その声につられて、すさまじい嬌声《きょうせい》があがる。二階の女子中学生たちが一階のロビーを見ようとガラスの手すりに殺到する。

女は、ガラスを磨いていて知っていた。その手すりは、強化ガラスのついたてに載せてあるだけで、両脇の柱には固定されていない。

そこから数十人の少女たちが上半身を乗り出し、その後ろの数百人の少女たちが、少しでも前に出ようと、彼女たちの背を押す。

「その手すりは危ないから押さないで!」

女は、必死で二階に向かって声を上げたが、その声は嬌声の中で消えた。女は叫びながら必死に前に出る。

「押すなよ！　おばはん」

一人の少女が、前に出ようとした女の顔にひどい肘撃《ひじう》ちをした。女は、思わず後ずさった。

その一瞬後、ガラスは砕け散った。

女には、粉々に砕け散ったガラスがスローモーションで落ちていくように見えた。そこから身を乗り出していた数十人が転落する。次に彼女たちを押していた少女たちも後ろから押され、最初の犠牲者の上に落ちた。後ろの方の少女たちは、前で何が起こっているのかわからず闇雲に前の者を押し、前進し続けた。

ただの転落なら、頭から落ちないかぎり骨折程度ですむ高さだった。しかし、次々に落ちる少女たちの足が、先に転落した少女たちの体を砕いていった。

惨状を目の当たりにした一階の少女たちはパニックを起こし、悲鳴をあげながら空港の出口に殺到した。転んだ者は踏みつけられ、先に逃げ出そうとした者は開ききらない自動ドアに押しつけられつぶされていく。

女は、今、築かれていく死者と負傷者のかたまりを目の前にして、娘のことを思った。熱心なファンの娘がこの空港にいる可能性は高かった。

すぐ後ろにあった公衆電話に飛びついた。背後では人の口から出たとは思えないような悲鳴と泣き声、うめき声が聞こえてくる。女は、ふるえる手で硬貨を入れ、自宅の電話番号を押しながら「助けてやって」と、亡くなった夫の名を呼んだ。

呼び出し音が止まった。

「はい」

受話器の向こうから娘の不機嫌そうな声がした。女は受話器を持ったまま失神した。

八月二十六日　埼玉県埼玉新都心

夏の長い日も暮れようとしていた。

島汐路《しおじ》は、埼玉新都心の外れにある月極駐車場に車を停めた。

彼女の『カプチーノ』という二人乗りの軽スポーツカーは、軽自動車の中でも特別に小さい。車内が狭いという悪評もある車だが、小柄で細身の汐路は不満に思ったことはない。車から降りた汐路は、隣に停まっているベンツと自分の車を見比べて微笑んだ。銀色のカプチーノは、ベンツと比べるとおもちゃのように見えた。

上尾《あげお》市にある汐路のアパートから勤務先のネットワ・テックというゲーム制作会社までは、電車の方がずっと早く通勤できるが、汐路は車の通勤を続けていた。そのため、彼女の給与の半分がアパート代と二カ所の駐車場代に消えている。質素な生活をしているにもかかわらず貯金の額は百万を超えたことは一度もなかったが、汐路は満足していた。

汐路は駐車場から外に出る。

勤務している会社までの十分程度の道には仕事を終えたOLがあふれていた。

夏の軽やかな衣装をまとい、魚の群れのように優雅に歩むOLたちの中で、汐路のトレッキングシューズにゴアテックスのウォークマンズコート、ブラックジーンズという姿は、目をひく。OLたちは、がさつな女子大生がオフィス街に紛れ込んだのかと汐路を見るが、服装とはずいぶん差のある汐路の繊細な顔だちに、思わず歩調を乱した。汐路は微笑んだまま勤務先のネットワ・テック社に向かって大きな歩幅で歩いた。

五分ほど歩くと、小学生と株屋には百パーセント認知されているロゴマークが描かれたビル――ネットワ・テック社制作ビル――が見えてきた。ゲームソフトを創るスタッフの入っている制作ビルは、新しいということを除くと、殆ど取り柄のない八階建てのビルだ。しかし、その中にある開発機材を含めると、総建築費は赤坂にある十階建ての豪華な本社ビルをはるかに上回る。

汐路は社員用のエレベーターの前で守衛に社員証を提示し、エレベーターを待ちながら玄関ホールを見た。本社ビルと違って、玄関ホールに美人の受付嬢がいるわけでも観葉植物の森があるわけでもない。搬入前の開発機材、産廃処分場行きの開発機材が並んでいるだけだ。前者が後者になるのに、長くて三年、通常一年。家庭用ゲーム機のプロトタイプ開発機の場合は二カ月程。

これらの機材を使ってゲームソフトを作るスタッフの在籍期間はもう少し長い。しかし、汐路は、先月、社員の平均年齢二十六歳を超えてしまった。

「あと一週間……」

汐路は呟《つぶや》いた。既に会社には辞表を提出していた。上司の強い慰留があったが、結局は受理され、出社するのは今週いっぱいになっている。その後は、一ヵ月近い有給休暇と代休の消化期間になる。別にネットワ・テック社に不満があるわけではない。今までもそうだったが、二年近く同じ仕事を続けると、どうしても次の場所に行きたくなる。時期的にもちょうど良かった。汐路がスタッフとして参加した『死の街』というゲームがもうすぐ完成する。

「時にはリセット」と、独り言を言いながら、降りてきたエレベーターに乗った。エレベーターは大型機材を運搬できるように設計されていたので、小さな部屋ぐらいの大きさがあった。

六階で降り、汐路は、『コンシューマ（家庭用）ゲームソフト制作部』と書かれたドアの前に立った。ドアには誰かが『Welcome to our B class World.（ようこそ、我らがB級の世界に）』と、書いている。エンターテイメント性のみを追求した映画は、時にB級とレッテルを貼られるが、そのB級だった。ドアには、さらに『ようこそ、幼稚園に』という、営業部か品質保証部のスタッフが書いたと思われる落書きがあった。よほど制作スケジュールの遅れが頭に来たのだろう。しかし、その落書きは制作部のスタッフに気に入られたのかそのままになっている。

汐路は社員証をドアのセキュリティシステムに差し込んだ。ロックが外れる音がした。入るなり、百個近いキーボードがたてる音が聞こえてきた。それだけの数のキーボードが一斉に立てる音は遠い潮騒《しおさい》の音に似ている。

四百坪近いコンシューマゲームソフト制作部のフロアは、防音ガラスと厳密な空調管理で、外の喧騒《けんそう》と遮断されている。天井にあるトップライトは、特別のことがない限りつけられることはない。フロアには百五十個近いパーテーションと呼ばれる個人用の仕切があり、その中では制作スタッフ各自が思い思いに設定した照明がともっている。これは、パソコンやゲーム機のモニターに天井の照明が映り込むのを避けるためにスタッフの要望で行われている。

パーテーションの高い仕切のため、小柄な汐路は部内全部を見渡すことはできない。明かりの漏れるパーテーション間の通路を歩いていると、夕闇に沈んだミニチュアの商店街を歩いているような気分になってしまう。ただ、中から聞こえてくるのは生活の音ではなく、ヘッドフォンから漏れてくる微《かす》かな音と、キーボードを叩《たた》く音だけだ。

開発スタッフは、自分のパーテーションを『じぶんち』、同じプロジェクトメンバーからなる一区画を『うちのシマ』、その区画にある通路を『通り』と、自然に呼ぶようになっていた。

汐路は、中東の下町の路地裏を歩く旅行者のように、パーテーションの隙間《すきま》をぬい、自分のシマにたどりついた。通りに明かりは一つも漏れていない。

「寝てないんですか？」

突然、暗いパーテーションの陰から、ぼさぼさの髪の石丸圭一《けいいち》が顔を出した。彼は汐路が参加しているプロジェクトの責任者で、部では最年長のディレクターだ。たしか、三十四歳と聞いている。彼より年上の者は、全てプロデューサー以上の管理職になっていた。

「石丸さんこそ」

「今寝たら絶対に二十時間は起きられないので、水槽の世話をしてました」

石丸は、低い、静かな口調で話した。

石丸は、整った容貌《ようぼう》から、他部署の女性社員の熱い視線を集めている。しかし、そうした視線に無頓着《むとんじゃく》なのか、身だしなみには気を遣っていなかった。洗濯だけはこまめにしているようだが、そのせいで元は高価な濃紺のスタンドカラーのシャツは、袖口《そでぐち》がすり切れ、色もライトブルーになってしまっている。

汐路は石丸のパーテーションの入り口に立った。中には一辺が百六十センチのL型の机があるが、その下に幅百二十センチの熱帯魚用水槽が置かれている。パーテーションの住人たちは、それぞれ、『じぶんち』を仕事がしやすいように、住みやすいように、……あくまで、彼ら自身の論理によって……整えていたが、石丸のように大型水槽まで持ち込む者は多くはない。

「島さんは何を？」

「私は所沢《ところざわ》まで車を走らせていました。仮眠室はにおいますから」

汐路たちは、二日間、殆《ほとん》ど徹夜で自分たちの作ったゲームソフトのチェックをしていた。次のチェックが始まるまで二時間の休息があったが、疲労のピークでベッドに入ると、起きるのはひどくつらい。石丸や汐路のように眠らずにすます者もいる。

石丸は苦笑いをして、腕時計を見た。

「そろそろ最終テストの時間ですね。品質保証部の人が来るまでに、みんなを起こしてくれませんか？」

「はい」

汐路は通りを抜けて、雑多な物で倉庫のようになってしまったパーテーションに入った。モデルガン、ボードゲーム、カードゲームの下には、いろいろな分野の入門書や、心理学、倫理学、哲学、犯罪学の専門書が堆積《たいせき》していた。こうした一番得体の知れない『うち』には、『企画屋』と呼ばれる人たちが住んでいる。彼らは一日中、ゲームのアイデアを考えている。

汐路は、机の下で寝袋にくるまっている企画チーフを揺り動かした。

「起きてください。テストの時間です」

わずか二時間の仮眠から起こされた企画チーフは、「ううっ」という声をあげて、のそのそと寝袋から這《は》い出した。ここ一カ月の彼の平均睡眠時間は二時間を切っていた。一分でも長く眠りたいはずなのに、この男は寝袋に入る前には必ずパジャマに着替える。

「他の企画屋さんは、チーフが起こしてください」

理解したのかどうか、企画チーフは、「ううっ」という声を漏らして、椅子の背に投げかけたジーンズを手に取った。

汐路は、企画チーフが一応目を覚ましてパジャマを脱ぎ始めたのを確認してから、『絵描きチーフ』のパーテーションに入った。サブチーフの汐路の直属上司にあたる女性が、椅子を並べて、その上で眠っていた。仮眠室のベッドで眠ると、眠りが深くなって起きるのがつらいが、椅子の上だとあまり深い眠りにならず、起きるのも比較的楽になる。彼女は、いつも椅子の上で眠っている。

「起きてください。もうすぐ、品証の人が来ますよ」

絵描きチーフは、「品証は、嫌だ、嫌だ」と言いながら起きあがり、出しっぱなしになっていた彫刻刀を片づけた。「私は、さぼっていないぞ」

机の上には、彼女が仕事の合間に彫刻刀で作ったミニチュアの家具が並んでいる。汐路たち絵描き屋は企画屋の書いた仕様書を元に、パソコンを使っていろいろな絵を制作していくが、コンピュータグラフィックスだけを制作していると欲求不満になる。実際に形になるものを製作したいという欲求から、カッターや筆を手に緻密《ちみつ》なフィギュアモデルやミニチュア家具を作り始める絵描き屋は多い。それを「さぼっている」と思うか「必要不可欠の息抜き」とみなすかは、見た人が制作部にいたことがあるかどうかによって違う。

「品証は、嫌だね」

彼女は、まだぶつぶつ言っていた。

汐路には、彼女の気持ちはよくわかる。ゲーム制作の最終段階になると品質保証部のスタッフがソフトのチェックに参加し始めるが、どうやって見つけたのか、殆ど再現しないようなバグ（コンピュータのプログラムの欠陥）を見つけだしては容赦なく改修を命令してくる。その時に「いいかげんな生活態度だからバグが出るんだ」というようないやみも付け加える。

ネットワ・テック社の社長が、まだどこかの会社の一介のプログラマーだった時、彼は品証のスタッフを『ゲシュタポ』と呼んでいたそうだ。今の制作スタッフは『風紀委員』と呼んでいる。

「他の絵描き屋さんを起こしてください」と、汐路はチーフに言った。

「……汐ちゃんは、またドライブ？」

「所沢まで」

「若いなあ」と、三十になったばかりのチーフは言った。「それで外の季節は何だった」

「夏」と、笑いながら汐路はパーテーションを出た。背後で、「この前、アパートに帰った時は桜が咲いてたのに……」という情けなさそうな呟《つぶや》きが聞こえた。

汐路は、『音屋』のパーテーションに入った。

楽器とサウンド用のキーボードが整然と並んでいた。企画屋の書いた仕様書を元に、音屋はゲーム中に流れる曲や効果音を創る。彼らの多くは、開発機材と楽器自体が美しい造形と思っているらしく、自分のパーテーションを飾る私物といえば、遊びに出るときのスーツくらいだ。

音屋は、ヘッドフォンをしたまま机にうつぶして寝ていた。音屋は、おしゃれに気を遣う人種でもあるが、その気力もなくなったのか、この男は汗じみたシャツを着つづけている。

汐路は音屋の体を思いっきりゆすった。音屋は顔をあげると、一瞬、理不尽な怒りの目で汐路を見つめたが、ため息をつくとクローズドタイプのヘッドフォンを外した。中世イギリスの世俗歌曲が、かなりの音量で流れていた。

最後にソフトチーフのパーテーションを覗《のぞ》いた。『ソフト屋』のパーテーションには、誰もいなかった。机の上には開発機材と技術書がきちんと整理されていたが、机の下にはテニスラケット、モトクロスバイクのプロテクターが置かれている。

ソフト屋は、企画屋の仕様書と、絵描き屋、音屋が創ったデータを元にゲームのプログラムを作成するが、一般的なイメージと違って最も体力のある人たちだ。と言うよりも、体力がなければ連日の徹夜に耐えられず、入社二、三年で消えていく。

制作部の入り口から、ランニングシャツにボクサーパンツという姿の筋肉質の男が、どかどかと戻ってきた。ソフトチーフだった。

「シャワー室に行ってたんですか?」

「いや、銭湯。一週間ぶりでさっぱりした」

この一週間で合計八時間も眠っていないはずのソフトチーフは、さすがに目に隈《くま》を作っていた。

「そろそろテストですが」

「できているよ」机の上には、二十枚近いCDが積み上げられていた。「ソフトの若い衆も起こしておく」

しばらくして仮眠室で眠っていたスタッフが団体で戻ってきた。石丸チームのシマにある二十近いパーテーションに次々に明かりがともり始める。両隣のチームは、プロジェクトが開始されたばかりなので、それ程忙しいわけではない。この時間には退社して、パーテーションの明かりは落ちている。その闇の中で石丸チームのシマの明かりだけがぼんやりとあたりを照らした。

そのシマの入り口にネクタイ姿の男が立っていた。男は、パーテーションの壁に貼られた『死の街』のポスターに皮肉な視線を投げかけている。品質保証部のスタッフらしい。

「ふうん。『神は、街を滅ぼす者。そして、人々の営みの記憶のみをいとおしむ者』……。これは聖書かなんかの引用か？」

男は、ポスターに書かれているキャッチコピーを読んだ。

「ゲームのエンディングのセリフ」石丸が自分のパーテーションから顔を出した。「いいだろ。俺が考えたんだ」

石丸は、同期入社の者に対してだけ、ざっくばらんな口調になる。多分、品証の男は石丸の同期なのだろう。

男は、通りにはみ出た巨大な観葉植物の枝をくぐって石丸に近づいた。

「お前、絵描き屋あがりのディレクターだろ。文章は企画屋にまかせた方がいいな」

男は、腰に手をあてて周りを見た。

「制作部の迷路はだんだんひどくなるな」

「プロジェクトが始まるたび、終わるたびに、パーテーションは増殖するからな」石丸は、苦笑いをした。「で、品証の課長がわざわざ出っ張ってきたのは？」

「制作部じゃあるめえし、担当者に徹夜なんかさせられるかよ」品証の男は、ため息をついた。「それでわざわざ、このくそ暑い中、赤坂の本社から埼玉まで出てきてやったんだ」

「昼間の都心の熱は、海風に乗って夕方には埼玉に来る。うっとうしい奴がうっとうしい風と共に来たわけだ」

方々のパーテーションから忍び笑いが聞こえてくる。

「どんなゲームなんだ」

品証の男は、憮然《ぶぜん》とした面もちで聞いた。

「担当者から聞かずに来たのか？」石丸は肩をすくめてみせた。「まあいい、説明しよう。簡単にいうと、ネットワーク空間での追いかけっこだ。プレイヤーは、最初に人間になるか、吸血鬼になるか決められる。人間は吸血鬼を滅ぼそうとし、吸血鬼は人間を仲間にしようとする。それをネットワークを使ってプレイするのさ。ロサンゼルスの大豪邸に住むお姉ちゃんの操作する吸血鬼が、東村山の茅葺《かやぶ》き屋根の家で生まれたお兄ちゃんの操作する人間を襲うんだ」

「岡山の山奥出身の奴に言われたくないな。それに多人数同時参加のネットワークゲームなんて新しくもない」

いやみは、品証の風土病だ。

「これは、携帯電話からでも家庭用ゲーム機からでもパソコンからでも参加できるんだぜ。うちの社でもまだ二作目のはずだが……。接続形態の違う携帯電話でもゲーム性をもたせるのは大変なんだぞ」

品証の男は、石丸の抗議を聞き流した。

「携帯と言えば、総武線でかけてたカップルが、いかれた男に刺されたらしい。このゲームを車内でやってるやつが刺されたら、いい宣伝になるんだがなあ」

品証の男のセリフに石丸は眉《まゆ》をひそめた。

「いつだ？」

「ニュース見てないのか？」

「今の時期、テレビを見る時間なんかないな。暇になったらインターネットで調べてみる」

石丸は操作用のゲームパッドを品証の男に渡した。

「俺もプレイするのか？」

「あたりまえだろ。担当の代わりに来たんだから……。お前は、俺の席の家庭用ゲーム機で参加してくれ。お前を含めてチェックには、家庭用ゲーム機、携帯、パソコンに、それぞれ五人、六人、七人が参加することになる」

品証の男は、促されて石丸のパーテーションに設置されたゲーム機の前に腰を下ろした。品証の男がゲーム機の電源を入れたのを見て、石丸はソフトチーフに目配せした。

「サーバー・スタンバイしてます」

ソフトチーフが声をあげる。チェックが始まった。

「端末1レディ」

「端末2レディ」

パーテーション越しにスタッフが報告した。スタッフの間に緊張感が走る。汐路は今までに出たバグリストを手に、石丸の側に立った。バグのとりまとめはスタッフが交代で行うが、今回は汐路の番だった。

「VTRスタート」

若いソフト屋が、それぞれの端末に繋《つな》げられたビデオの録画スイッチを入れた。バグが出た場合、これを再生して原因を探る。

「それじゃスタートしてください」

石丸は、ひどくゆっくりした声で命令した。

それぞれのモニターにネットワ・テック社のロゴマークが現れた。タイトルとオープニングが続く。

品証の男は取扱説明書を片手に、ゲームパッドを握った。石丸は品証の男に説明を始める。

「今、この街には、合計十八名の人間と吸血鬼がいる。ゲームがリリースしてからは、一つの街に最大百人の住民が住むことになるが……。そんな街がネット上に最大千個近く設定できる」石丸は、品証の男のモニターを見た。「どうやらお前は、人間の役だな」

「で、どうするんだ」

「吸血鬼は、自分の正体を隠して人間を襲い仲間を増やす。人間は吸血鬼の正体を見破って滅ぼす」

「そんなの簡単じゃないか。十字架をかざして恐がったら吸血鬼だろ」

「この世界には十字架も聖水もないんだ。ゲームの舞台設定は今から二百万年前の世界だから、キリストは生まれていない」

「二百万年前？　人類がいたか？」

「滅んでしまった前文明があったことにしてる。十字架や聖水の存在を許すとゲームがなりたたなくなるんでね。それに一目で誰が吸血鬼かわかるほど、実際の世の中も甘くはないだろ」

モニターに女性のキャラクターが現れ、品証の男が操作するキャラクターに近づいてきた。

「じゃ、どうやって、相手が吸血鬼かどうかわかるんだ」

「古典的なセリフだが、Read the fine manual（マニュアルを読め）」

品証の男は、あわててマニュアルを読み始めたが、モニターの中の女は、さらに近づくと、いきなり噛《か》みついてきた。少し離れたパーテーションから「品証ゲット」という男の声が聞こえた。石丸は疲れた目を細めた。

「どうやら、お前は吸血鬼になったな。今度は吸血鬼として人間を襲う立場だ。気をつけろよ。心臓に杭《くい》を打たれたらゲームオーバーだぞ」

石丸は品証の男の肩をたたくと、自分のゲームパッドを手に取った。

方々のパーテーションから「バグナンバー1394フィックス（修正確認）」「バグナンバー1388フィックス」と報告の声が上がる。

汐路は、手にしたバグリストから修正が確認されたものを消していく。

「バグナンバー1377NG（修正失敗）」

舌打ちする音や悪態をつく声が聞こえてきた。

「おいおい。ここにいたってバグが残っているのか？」

品証の男が聞きとがめた。

「大したバグじゃない。気にするな」

品証の男は、ぶつぶつ言いながらゲームを続けたが、あっという間に人間側のキャラクターに殺されてしまった。またどこからか、「品証ゲット」という声があがる。

「くそっ。てめえ、仲間だと言っただろうが！」

品証の男はゲームパッドを投げ出して、声のした方に叫んだ。

「お前は人がいいなあ」と、石丸は笑いながら呟《つぶや》いた。「ネットワークでの生活は無理だな」

品証の男は、再びゲームにエントリーした。

ゲーム開始後四時間を過ぎたあたりから、品証の男は簡単には、やられなくなってきた。逆に、ときたまだが制作スタッフのキャラクターを倒し始めた。品証の男は冷静さを装ってプレイしていたが、時々「制作ゲット」と、ひどく嬉《うれ》しそうに呟く声が聞こえてくる。

リストにあるバグは、殆《ほとん》どが修正されたことが確認できた。

「誰かナンバー1348を確認してください」汐路は声をあげた。

「僕が確認できそうです」ソフト屋の一人が手を挙げた。

チェックは続いていたが、若いデザイナーの一人が腕時計を気にし始めた。

「行っていいですよ」石丸が声をかけた。「足や首は、もげてもいいですけど、マウスを操作する右手だけはご無事に」

デザイナーは、それを聞くと、机の下に置いていたスーツケースを持って飛び出した。

「オーストラリアでスキーだそうだ。成田発の便がとれなかったから、関空から出発するらしい」石丸は鼻をこすった。「スキーシーズン中は忙しくて泊まり込みが続いていたから」

「だからチェックを済ます前に行くのか？」

品証の男は、不満そうに尋ねた。

急に石丸は厳しい顔になった。

「彼は絵描きだ。本来の業務は終了している。それでもプロジェクトから抜けずにバグチェックなんかしているのはボランティアだ。それを無責任かのように言われるのは心外だ」

汐路は驚いた。いつも困ったような微笑みを浮かべている石丸の、初めてみる顔だった。

「わかった、わかった。口が滑った。あやまる」と品証の男は、両手を軽く挙げて言った。

「しかし、お前も変わらないな」

品証の男の口振りだと、こうした石丸の態度は初めてではないようだ。同期だから知る顔だろうか。

石丸は、ちょっと困ったような表情に戻った。

「品証のチェックが終わったころに帰国するから、最終チェックには参加させる」

「しかし、信じられないなあ。どうせ今の時期だから一日二時間も寝てない生活が続いているんだろ。それでよくオーストラリアに行こうなんて思うな」

「若いんだろ」石丸は苦笑した。「俺たちもそうだったぜ」

結局、全てのバグの修正を確認したのは、東の空が白み始めてからだった。二時間程度の休憩で得た力を、殆どのスタッフは使い果たしていた。全員が亡者のように石丸の前に集まってきた。

汐路は、バグのリストを石丸に手渡した。

「NGが一つですが、あとはフィックスしています」

「ごくろうさま。品証に渡しましょう」

品証の男がバグリストを覗《のぞ》き込む。

「さっきのナンバー1377バグのNGは、どうする」

「どうせ一週間後に百個バグを見つけだして、つっかえして来るんだろ。その中にいれておいてくれよ」

品証の男は考え込んだ。

石丸は、「受け取ってくれ」と再度、品証の男にかけあった。

「わかった。品証として受け取ろう。一週間後を楽しみにしてな。分厚い改修要求書をつけて返してやるから」

品証の男はソフトウェア受領書にサインをし、石丸はソフトウェア送付書のディレクター欄に署名した。部長と副部長の承認欄にも代行のサインをいれて品証の男に渡す。

「部長と副部長は、どうした」

「インド。制作子会社を作るために一ヵ月近く出張中。来週あたり戻る」

「しょうがねえなあ」

「とにかく、品証からバグレポートがあがるまで、俺たちは眠らせてもらう」

品証の男は、石丸からゲームを焼いたCDと取扱説明書を受け取ると「本当に、おめえらは、しょうがねぇなあ」と言いながら石丸のシマから出ていった。集まったスタッフの間から、ほっと、ため息が漏れた。石丸は微笑みながら自分のスタッフを見渡した。

「それじゃ、これから一週間は休みにしましょう。来週、午後一番、品証からあがってきたレポートを元にファイナル版の制作に入りますからよろしく。それには遅れてもかまいませんが、島さんの送別会には絶対に遅れないように」

疲れ果てたスタッフたちが仮眠室に戻っていく。すぐには帰宅できないほど消耗していた。多分、丸一日は仮眠室で眠っているはずだった。

「島さんは仮眠室に行かない？」

「軽く机で眠って、それからアパートに」

「そうですか」と言ってから、石丸は床に座り込んで、机の下の水槽に餌を入れ始めた。

「ペト君、ウル君、クルス君。餌の時間だよ」

小さなエビたちは、石丸の手から直接餌を受け取ると、水槽の底に戻り、忙しく口を動かす。

誰かから聞いた話だが、石丸が水槽を自分のパーテーションに入れ始めたのは、同僚から淡水棲《たんすいせい》のエビを奪ったのが始まりらしい。その同僚は自分の水槽に繁殖しはじめた藻を除去するために藻を食べるエビを入れたが、必要がなくなったのでトイレに捨てようとしていたのだそうだ。

窓のブラインドの隙間から見える空が明るくなっていた。汐路はオフィスの隅に行き、そこに設置された『喫茶コーナー』にある冷蔵庫からオレンジジュースを取り出して、カップにいれた。喫茶コーナーでは、コーヒー、紅茶、ジュースが自由に飲めた。汐路は、オレンジジュースを飲みながら隣の『売りますコーナー』を覗いた。部員の置いた中古のビデオボードやゲームソフトがぎっしりと置かれてある。彼らは不要になった私物に値段をつけて、このコーナーに置いておく。それを買いたいと思った者は集金箱に現金をいれて展示物を持っていく。集金箱の金は、喫茶コーナーの飲み物の購入費に充てられていた。汐路は殆ど物を買わないので、自分の飲んだ分は現金で集金箱に入れていた。乾燥したオフィスでは皆、一日何杯も飲んでいるが、冷蔵庫の中身がなくならないところを見ると、部員たちは律儀に物を買ったり寄付したりしているのだろう。

汐路はオレンジジュースを飲み終えると、制作部の外にある給湯室に行って、カップと、ついでに徹夜でべたつきはじめた顔を洗った。

制作部に戻ろうとした時、入れ違いに二人の女性が出てきた。別のプロジェクトチームの宇賀神美樹《うがじんみき》と木崎礼香《きざきれいか》だった。

彼女たちのプロジェクトは、『死の街』に比べると二まわりほど小さい。宇賀神がディレクターを、木崎が絵描きチーフを務めている。

「おはよう」

汐路は声をかけたが、白いワンピースを着た宇賀神は、憮然《ぶぜん》とした表情で脇をすり抜けた。青いジーンズの上下を着た木崎は、ちらりと汐路の顔を見て、すぐに顔を伏せた。

「礼ちゃん……」汐路は声をかけたが、二人は聞こえないのかそのまま階段の方に向かっていってしまった。

……プロジェクトのトラブルかな？……

制作部には、プロジェクトのトラブルに、他プロジェクトのスタッフは干渉しないという不文律があった。スタッフそれぞれがプロ意識が強く、同格の者からの干渉をひどく嫌がるためだ。干渉できるのは部長と副部長ぐらいだった。

汐路は階段に向かう二人の後ろ姿を見た。すれ違う一瞬だったが、二人の顔に、プロジェクトのトラブルとは異質の、何かその場にそぐわないものを見たような気がした。もう一度、二人に声をかけようとした瞬間、開きっぱなしのドアのセキュリティシステムが警告音を出し始めた。

汐路は、あわてて中に入った。

汐路は自分のシマに戻った。水槽の世話を終えた石丸が、椅子の上で長い足を組み、目をつむっていた。

汐路は自分のパーテーションに戻り、メーラーを立ち上げた。どこからもメールは来ていない。安心した汐路は机にうつぶして眠り始める。

どのくらいうとうとしたか、微かな音と震動に目がさめた。外からの音だった。

「地震?」隣のパーテーションから石丸の声がした。

「交通事故じゃないですか」汐路は顔をあげた。固まった背骨がぽきぽきと音を立てた。

「ちょっと見てきてくれますか?」

汐路は窓辺によった。窓から見える早朝の道路には、いつも通りスムーズに車が走っている。

ビルの真下を見た。

ある一点から逃げ出す人と、何があったのかと集まる人の円があった。その円の中心に二人のおり重なる体があった。一人は白いワンピースの女性。一人は、ブルージーンズの上下。手足は奇妙な角度に曲がっていた。血と、汐路が名前を知らない何かの液体が周りに広がっていく。遮音ガラスの向こうから「飛び降りだ」と叫ぶ声が微かに聞こえた。

汐路は、ゆっくりと窓からあとずさった。

「どうかしました?」

振り返った。

石丸がいた。

汐路はふらふらと倒れかかり、石丸の胸にさっき飲んだオレンジジュースを全部戻してしまった。

八月二十七日

気がついた時、汐路はベッドに寝かされていた。

ゆっくりとあたりを見渡す。会社の医務室だとわかった。窓の外は夕闇が迫っている。十二時間以上も寝ていたらしい。年をとった企業医が部屋の隅に置かれた机につき、ライトの下で何かの書類に目を通していた。企業医は、汐路の気配に顔をあげた。

「気分はどうかね？」

「特に……」

「あんたを抱えてきた男が、倒れた時に頭は打ってないと言っておったから大丈夫とは思うが、どこか痛いところはあるかね？」

汐路は目をつむった。

「ありません」

「それなら安心だ。気分が落ち着いたら帰りなさい。鎮静剤の処方を書いておいたから駅前の薬局でもらうといい」

汐路は老医師の差し出した処方箋《しょほうせん》を手に取った。

老医師はカーテンを引いた。どこかに電話をかけているようだった。

汐路は、もう一度ベッドに横になると、しばらくぼんやりと天井を見つめた。

医務室のドアが遠慮がちに叩《たた》かれる音が聞こえた。続いて、「カーテンを開けてもいいですか？」という石丸の声がした。

「どうぞ」と汐路が応《こた》えると、困ったように微笑んでいる石丸が顔を覗《のぞ》かせた。

「気分はどうですか？」

汐路は肯《うなず》いた。

「本当に？」

問いかける石丸に、汐路は、もう一度肯く。

「隣のプロジェクトの宇賀神さんと木崎さんでした」石丸は、ちょっと言葉を詰まらせた。「目撃者によると木崎さんが無理心中を図ったらしい……。屋上で言い争う声を聞いて駆けつけた警備員が目撃したそうです」

「屋上にはフェンスがありますが……」

「前もって、ペンチかなんかで切り込みをいれてあったそうです」

「計画的？」

「今、警察が来ているから、そのうちいろいろとわかるでしょう。それにしても無理心中とは……」

汐路は、石丸が上着を脱いでいることに気がついた。

「汚しちゃいました？」

「いや、かまわないですよ。誰も見てないうちに床も掃除しておきました」

「すみません」

「あんな事件を目撃すれば当然のことです。横着せずに最初に僕が見に行けば良かった。本当に申し訳ない」

石丸は、頭をさげた。

「違いますよ。転落死でなければ、どんな事件を見ても大丈夫です。たとえ、電車事故の轢死体《れきしたい》でも」汐路は、石丸の不審そうな視線を感じた。「私の両親も無理心中で崖《がけ》から落ちて死んだんです。私が八歳の時でしたが」

石丸は、どう反応したらいいのかわからないようだった。黙って汐路を見つめる。

「崖の上から見下ろすと、白いブラウスの母と青い作業着を着た父親が倒れていました。宇賀神さんと木崎さんと同じ服の色です。それで昔のことが頭の中でフラッシュバックしただけです」汐路は自嘲《じちよう》気味に笑った。「田舎の人は、無理心中というスキャンダラスな展開が好きじゃなかったみたいですね。事故として処理してしまいました」

汐路は嘘をついていた。彼女は知っていた。両親の死は無理心中ですらない。父は、母を崖から突き落とそうとしただけだった。

……助かろうとしがみついたお母さんのせいで、二人は一緒に転落した……。

「島さん。本当に大丈夫ですか？」

汐路の目の前に、心配そうに見つめる石丸の顔があった。

「大丈夫です。子供の頃のショックがトラウマになるほど私は弱くないですから」

石丸は汐路の顔を覗き込み、しばらく考え込んでから、「一人で帰らないで。二、三用事を済ませた後で送りますから」と言うと、また少し困ったような微笑みを浮かべて医務室から出ていった。

汐路は再びベッドに横になった。

普段、屋上に向かう階段に人気《ひとけ》はない。警備員を除けば宇賀神と木崎を最後に見たのは汐路のはずだった。何らかの行動を最後にとれたのも……。

そのことを思うと、汐路の気持ちは暗く沈んだ。つい両親のことを石丸に話してしまったのもそのせいかも知れなかった。

……やっぱり、ショックだった？……

汐路は、ため息をついた。

ベッドから起きあがると脇にきちんと揃えられていたトレッキングシューズを履いた。企業医に「もう大丈夫です」と言い残して医務室を出た。

一階のフロアに煙草の自動販売機があった。汐路は、大学卒業から煙草を吸っていなかったが、ジーンズのポケットから硬貨を出すと投入口にいれ煙草を取り出した。かわりに自動販売機の脇に置いてある灰皿に医師の処方箋を投げ込んだ。

会社から出て、いつもの道を歩き、駐車場に着いた。

車に乗り、キーを差し込む。MDプレイヤーからキャメルの「ムーンマッドネス」のサウンドが流れ始めた。汐路は、もうどうしようもなく古くさくなったプログレッシブロックを聴きながら運転した。徹夜の後で長い間眠ったので、かえって体の筋肉がつっぱり、軽い頭痛がした。

その頭痛は、アパートの駐車場に車を入れた時にも、まだしつこく続いていた。汐路は鍵《かぎ》を開け、部屋の中に入った。

殆《ほとん》ど物が置かれていない部屋だった。机にはノートパソコンと小型のオーディオ、部屋の中央にベッド代わりにしているキャンプ用折りたたみコット（簡易ベッド）と寝袋。

汐路の趣味は読書だった。しかし、持ち物が増えるのを嫌い、読みたい本があっても図書館で借りるか、買ってもすぐに売ってしまう。彼女の持っている三十冊あまりの本は、どうしても手元に置いておきたいものだけだ。その殆どが画集と写真集だった。他には、愛車カプチーノの整備マニュアルと、書き込みだらけの『古今和歌集』が一冊。

汐路は、自分の持ち物はシートを外した車の助手席に入れられる限りと決めている。その上限を超えてない部屋を見ると少し心が落ち着いた。

汐路はコットの上に服を脱ぎ、浴室に行くとシャワーを浴びた。残っていた頭痛も少し楽になった。

ふと気づくと、何かの音がする。シャワーを止めて耳を澄ました。携帯電話が鳴っていた。汐路は、タオルを手に浴室から出た。

石丸だった。

『ああ、島さん。今、ご自宅ですか……。無事に帰られていたようですね』

携帯の向こうから、安堵《あんど》のため息が聞こえた。

汐路は、「すみません、勝手に帰って」と応えた。

『いえ。謝る事じゃないですから』石丸は、何か言葉を探しているのか少し間をあけたが、

『こっちこそ、夜に電話して……。それじゃ、ゆっくり休んでください』と言い、電話を切った。

汐路は、手にしたタオルで体を拭《ふ》く。机の上に、買ったばかりのマイルドセブンが転がっているのに気がついた。しばらく汐路はそれを見つめた。汐路は机に近づき、煙草を手に取ると、パッケージごと握りつぶしてゴミ箱に放り込んだ。動揺から昔の習慣に逃げようとした自分にいらだちを感じた。かわりに食欲はなかったが流しの下からレトルト食品を取り出すと、小さな鍋《なべ》に火をかけた。

また携帯が鳴った。一瞬ためらってから、携帯を手に取った。

『元気？』

汐路の故郷、愛媛県の早瀬《はやせ》町に住む、姉の明奈《あきな》からだった。

両親の死後、まだ八歳だった汐路は名古屋の叔父に預けられたが、高校二年生の明奈は、そのまま一人早瀬に残った。高校を卒業してからは早瀬町立の図書館に勤めている。

名古屋に住んでいる時は叔父夫婦の配慮もあって何度か行き来があったが、汐路が東京の美大に入ってからは、二年に一度会うぐらいだ。電話も半年に一本あるかないかというぐらい疎遠になっている。

『今、テレビで汐ちゃんの会社のニュース見たの』姉の声に少しの間があった。『大丈夫だった？』

「大丈夫って？」

電話の向こうでためらう気配があった。

『ショックを受けたんじゃないかって……』

「少しはね。同じ様な無理心中だったから」

『まだ言っているの？』明奈は、強い調子で否定した。『あれは、事故よ』

汐路の頭の中でいろいろな映像が浮かんだ。

……崖《がけ》から腹這《はらば》いに覗き込む私……

……岩の上に横たわっている白いブラウスを着たお母さんと青い作業着を着たお父さん
……お母さんの白いブラウスにゆっくりと広がっていく血と……

汐路は、ため息をついた。

『あれは、事故なのよ』

言い聞かせるように明奈は言った。

……早瀬の人は、事故にしてしまったけどね……

……

その言葉を汐路は呑み込んだ。

江戸時代、早瀬町は将軍家の天領だった。島家は、天領の庄屋の流れを継ぐ名家の一つとされていた。それで田舎の警察と有力者は醜聞とか面倒とかを避けたのだと、今の汐路にはわかっている。

『汐ちゃん……』

「なに？」

『あなたは、八歳だったから、心の傷になっているかもしれないけど……』

「まさか。私は、子供の時のトラウマとかに左右されるほど弱くないよ」

石丸に言ったことを繰り返した。

『それならいいけど、恐いことが続いているから。先々週も松山空港でたくさん人が死んだりしてるでしょ？』

「知らない。飛行機が墜《お》ちた？」

『テレビ見てないの？　パニックで三十人以上も死んだのよ』

「ずっと会社に泊まり込んでた。でも、早瀬みたいな田舎だとそんなに恐い事件はないよね」

『何言ってるの、早瀬でも年に二、三件は殺人事件があるんだから』

「大げさだな」汐路は笑った。

早瀬町は、四国山地と瀬戸内海に挟まれた狭い土地にあった。なにもない田舎町で、人口も一万人をきっているはずだ。年に二、三件の殺人事件は多すぎる。

『西屋敷の英子《えいこ》さんのクラスの女の子がクラスメートを猟銃で射殺したじゃない』

「本当？」

汐路は驚いた。西英子は、明奈とほぼ同年の従姉《いとこ》だ。彼女が故郷で中学の美術教師をしていたとは聞いていた。西の家もやはり元庄屋で、早瀬の人からは西屋敷と呼ばれている。先代が亡くなるまでは、早瀬町に代々続く開業医として町民の尊敬を集めていた。戦後、早々に没落した島の家の者たちとは違い、プライドの高い一族だった。

『知らなかったの？　殺人事件なんて都会じゃしょっちゅうで、報道されないのかしら』

「まさか。女の子がクラスメートを射殺したなんていうのは、こっちでもトップ扱いでしょ。……撃った子は？」

『逃げて行方不明』

「英子さんは？」

『まだ教師をしているのよ。最近は、すっかり面変わりして』

「逃げ出せばいいのに」と、汐路は呟《つぶや》いた。「ともかく、私は大丈夫だから」

汐路は通話をきり、携帯電話をノートパソコンに繋《つな》いだ。ノートパソコンの電源を入れ、インターネットの検索サービスを呼び出す。汐路は、『松山空港・事故』とキーワードを打ち込んでみた。数十年前の墜落事故も拾っていたが、千件程ヒットした。信頼性の高そうないくつかのページを覗《のぞ》いているうちにだいたいの内容が理解できた。

元は、ファンの女の子たちの願望が生み出したような根も葉もない噂から起こった事件らしい。今は、警察と心理学者が噂の伝播《でんぱ》を追跡しているようだった。

次に『早瀬・猟銃』とキーワードを打って、検索した。こちらも、新聞社から個人のページまで数百件以上ヒットした。

「これも、大事件……」

新聞社のページには、『二月十八日正午、早瀬中学のA（十三）が、教室内でBさん（十四）に猟銃を発砲。Bさんは、救急車で早瀬町立病院に運ばれたが、二時頃、死亡が確認された。Aは発砲後、逃走した。現在、早瀬署では行方を追っている』とあった。

他の報道機関が掲載しているものも見たが、内容は、それほど変わらない。

個人の開設しているホームページに移った。そこには、さらに詳しい情報があった。中でも『ファーサイド・オブ・ザ・ニュース』というページには、どうやって調べたのか、かなり詳細な事件の経緯が書かれていた。あるのかないのかわからないほどの細い線で目を隠した容疑者と被害者の写真までが載っている。その下の文章に『事情により、容疑者の写真に新たに加工をしました』と書かれているところを見ると、以前は無修整の写真を掲載していたのかもしれない。

タイトルには修学旅行中の写真とある。写真の背景は、奈良のように見える。二人は、顔を寄せ合って微笑みながら写真におさまっていた。体操のジャージを着て、胸には、『早瀬中学、二年一組』と書かれた大きな名札をつけている。名札の名前にはモザイクがかかっていた。

「ジャージなんか着せられるんなら、絶対に修学旅行には参加しないけどね」

二人の提げているバッグも学校指定のものだろう。量販店で買うよりも高価かもしれないが、作りはみすぼらしい。それでも、ぎりぎりの主張か、加害者のバッグには小さなアクセサリーがつけられていた。画像の解像度だと、バッグに付着したシミぐらいにしか見えない。どんなものかはわからないが青地に銀の十字がついているもののようだった。

ホームページのテキストには、二人のかなり詳しい経歴があった。それによると、二人は事件のほんの一カ月前までは、本当に親しかったらしい。インテリアデザイナーになるという同じ夢を持っていたと書かれている。

もちろん、汐路はインターネットで得られる情報を鵜呑《うの》みにすることはしない。しかし、長くこうしたページを見続けて得た勘から、ここに載せられている情報は、かなり正確なものだという感じは受けた。

汐路はもう一度、モニターの中で微笑んでいる二人を見た。体つきは違うが、髪型も笑い方も同じだった。加害者の方が被害者を真似ているように見えた。髪型も笑い方も被害者の方が自然で似合っている。

「なんか嫌だな」

二人の担任の顔写真は、無修整、実名付きで出ていた。中年の女がぼんやりとこちらを見つめている。かつては互いの家を行き来した従姉だが、すっかり顔つきが変わっていた。

昔は、地方の名家のお嬢さんにありがちな気の強い少女だった。同格の汐路の実家に対して、八歳の汐路にもわかるほど露骨な競争心を示した。

しかし、そうした気の強さのようなものがすっかり抜け落ちている。

それは、ひどく疲れた中年の女の顔だった。

厳格だった開業医の父親は亡くなった。跡を継ぐはずだった兄の優司《ゆうじ》は早瀬を嫌い、都会に出たまま音信不通と聞いている。広い西屋敷に一人住む英子を支える人がいるのかどうか、汐路にはわからない。

画面に出ている西英子の顔を見ていると、急に自分が下品な覗き屋になったような気がしてきた。他人の情報を見ている時には感じなかったが、知っている者の情報を覗く場合は別の感情が起こるようだ。

「あんまり好きじゃない従姉だけど」

汐路は、ノートパソコンの電源を落とした。

この数ヵ月の徹夜続きの生活で疲労した体と精神が、また眠りを要求していた。

汐路は寝袋の中に潜り込んだ。

八月二十八日

石丸圭一は出社不要と言っていたが、島汐路は、やはり出社することにした。

二人が死んだというのに、部内には特に変わった雰囲気はない。皆、通常通り仕事をしている。出先表を見ると、部長と副部長はインドから呼び返されたようだが、今は取締役室と人事部に行っていた。

汐路はタイムカードを押し、宇賀神美樹と木崎礼香のシマに行った。さすがにここは、ざわついていた。宇賀神と木崎のパーテーションの入り口は、侵入禁止と書かれたテープで封じられている。その警察が貼ったテープを見つめていると、隣のパーテーションから神経質そうな顔をした絵描き屋が顔を出し、「昨日、警察が来て書類もハードディスクも持って行きましたよ。残ったものも触るなということです。ついでに言うと宇賀神さんのもないですよ」と、教えてくれた。

汐路は木崎のパーテーションを覗いた。

木崎の机には、人形がぎっしりと置かれていた。

この会社では自分のパーテーションの中にぬいぐるみを山ほど置く者は多い。女性社員の半分はそうかもしれない。男性社員のなかにも十人に一人ぐらいは、好みのフィギュアを机に飾っている。

しかし、木崎の人形は奇妙だった。汐路は、何かひどい「違和感」のようなものを感じた。机には、同じキャラクターの人形が百数十個並べられていた。

似たような風景なら汐路も何度か見たことがある。京都でずらりと並んでいた地蔵……遠野《とおの》の民家を改造した郷土資料館で部屋いっぱいに飾られていた人形……。

しかし、汐路がそれらを見た時には、こんな感じはしなかった。

少し考えて理由がわかった。地蔵や人形は一つ一つが少しずつ大きさも形も違っていた。だが、木崎の机には、ただ一種類の人形だけが並んでいる。汐路は目を細めて木崎の机の上を見た。

……この机は、変だ……

汐路は、一度だけ彼女のアパートに行ったことがある。お互い中途入社社員としての情報交換のためだった。木崎の部屋には、オーディオと冷蔵庫以外の家電製品は無かった。テレビゲーム機もテレビもパソコンも無い。ゲーム制作会社に入社した者の部屋としては偏っているのかもしれないが、趣味の小物などで飾られた、ごく普通の女性の部屋に見えた。こんな違和感のようなものは感じなかった。

「護符みたいでしょ」突然話しかけられて汐路が振り返ると、さっきの絵描き屋が立っていた。「この一ヵ月ぐらいでいっぺんに増えて……」

「護符？」

「吉備津《きびつ》の釜《かま》って、知ってます？」

汐路は、首を横にふった。

「古い怪談なんですけどね。怨霊《おんりょう》から身を守るために家中に魔よけのお札を貼りまくる話があるんですよ。結局、怨霊に喰《く》われちゃうんですけどね。その護符だらけの家みたいな嫌な感じがしますよね、この机……」

「木崎さんは加害者のはずだけど」

「同じでしょ、怨霊に喰われるのも、鬼に喰われるのも」

絵描き屋らしい感性に依《よ》った表現だったが、最後にすれ違った木崎の暗く沈んだ顔に奇妙に符合するような気がした。

汐路は、若い絵描き屋に聞いた。

「これは、何の人形？」

「アニメの『クレイファイター』に出てくるキャラクターですよ。サブキャラなんですけど。たしか『ケイジロウ』とかいう名前だったと思いますが」

「ケイジロウ？」汐路は、問い返した。「聞いたことあるような気がするけど、有名なアニメ？」

「まさか。つまんないアニメですよ」

「そのアニメ、放送しているの？」

「打ち切りになってなかったらやってるんじゃないですか。でもチェックを入れるほどのモンじゃないですよ。見たければAV資料室に第一回放送分のビデオぐらいはあるでしょうけど」

汐路は絵描き屋に礼を言うと、宇賀神のパーテーションに行ってみた。こちらもテープで封鎖されていたが、企画屋あがりのディレクターの普通の机だった。

汐路は木崎たちのシマから出た。自分のシマに戻る途中で、同僚のパーテーションを覗《のぞ》いた。そこにはムーミンという童話に出てくるキャラクターのぬいぐるみが、いっぱいに置かれていた。

一目見れば、持ち主はスナフキンというキャラクターを気に入っていることがわかる。数が一番多い。しかし、スナフキンだけではない。他にもムーミンとか、別のキャラクターもひと通り揃えてある。

スナフキンというのは、架空の生き物だ。しかし、他のキャラと並べることで、相互関係やストーリーの力を得て存在感を増すことになる。どんなに一人のキャラが好きであっても、そのキャラだけを数多く集める者を汐路は見たことがない。

汐路は、スナフキンのぬいぐるみを指で弾《はじ》いた。

「この並べ方ならわかるけど」

汐路は、考え込んだまま自分のシマに戻った。

照明の落ちた隣のパーテーションでは、石丸が床に座り込んで水槽を見つめている。水槽用の明かりだけが石丸のウチの中を照らしていた。汐路は石丸の側に腰をおろした。

「昨日はすみませんでした」

石丸は、手を水の中に入れたまま振り返り、微笑んでから再び視線を水槽に戻した。

「出てきても大丈夫ですか？」

汐路は、あいまいに肯《うなず》いた。

「それよりも、今、木崎さんの机を見てきたんですけど、石丸さんは見ました？」

「ああ」石丸は、眉《まゆ》をしかめた。「なんなんでしょうかね。あの机」

「違和感を持ちました？」

「違和感？」水槽につっこんでいた石丸の手が止まった。「そういうものかもしれないけど」

少し考えた後で、汐路は言った。

「この部で二人を最後に見たのは私なんです。その時に二人の様子が変で……。もう少し彼女たちの……」

石丸は、水につかっていない方の手を軽く振った。

「あれは木崎さんたちの問題でしょう。ゲーム制作は感性勝負だから、仕事上の意見の違いが、簡単に人間関係の軋轢《あつれき》になります。こじれ始めると際限がない。そうしたことで外部の者が気に病むことはないでしょう」

石丸は、また水槽の手入れを始めた。

「失礼」

厳しい顔をしたスーツ姿の男が石丸のパーテーションの入り口に立っていた。

「石丸圭一さん？」

石丸は肯いた。

汐路は遠慮して、自分の席に戻った。汐路の席からだと立っているスーツの男の首から上だけが見える。男は、刑事だと石丸に告げた。

「最近、木崎礼香と宇賀神美樹の様子で、おかしいことはありませんでしたか？」

「いえ、気がつきませんでした。この数週間ファイナル版に向けた作業で忙しかったので。向こうのチームもアルファ版の制作で忙しくて、お互いに話したりする暇は、なかったですね。うちのチームの者は皆そうでしょう」

「ファイナルとかアルファというのは？」

「そうですね……」石丸は、どう説明していいのか悩んでいるようだった。外部の者に業界用語を説明するのは難しい。「刑事さん、ラブレター書く時にどういう順序で書きますか？　メモ書き、下書き、誤字脱字修正、本番というように段階を踏むでしょう？　ソフトの制作では、それぞれ、ファースト、アルファ、ベータ、ファイナルと呼んでいます」

刑事は手帳に石丸の説明を書き込んでいる。

「どの時期が一番忙しいんですか？」

「ジャンルや作り方によりますけど」

「彼女のプロジェクトでは、アルファとかだった？」

「アルファ版ではビジュアルの方向性を決定しないといけないので、絵描き屋は一番忙しいでしょうね」

……あと、ディレクターと絵描き屋が一番対立するのもこの時期……汐路は二人の会話を聞きながら思った。

刑事は質問を続け、石丸は、その一つ一つに丁寧に答えた。

一応の質問が終わったのか、刑事は手帳を背広の内ポケットに入れた。

「いろいろと、専門用語が多くて困りますね。パソコンの本でも買わないと」

「専門用語ではなくて方言です。僕の話した用語のいくつかは、他の会社では通用しないか微妙にニュアンスが違ってきます。例えば、あそこのパソコンですが」刑事は、促されて向かいのパーテーションの机の端を見た。一時期はやった中身の透けているパソコンが置かれている。「あれを殆《ほとん》どの人は、スケルトンモデルと呼びます。しかし、当社ではスケルトンモデルといえば、工場から出荷されたまま何も付け加えていないパソコンのことです」

刑事は首を傾げた。

「何も付け加わっていないパソコンは、他の会社ではなんと呼ぶんですか？」

「ネイティブモデルとかネイキッドモデルと呼んでいる所もありますし、工場出荷版と呼んでいる会社もあります」

「どうしてそんなふうに呼び方が違うんですか？」

「新しい産業には、よくあるんです。新しい概念や製品や基準が出来ても、名前がないですよね。それで、めいめいが勝手に名前をつけるんです。やがて専門誌が現れ、一般誌にも記事が出るようになって言葉の統一ができるんですけど、それに従うのは後から来た人です。業界が誕生した時からあるような会社では、意地になって昔付けた名前で呼ぶんです」

刑事は、なるほどと感心しているようだった。

「理由は、それだけでもありません。これをなんて呼びます？」

ちらりと刑事は、視線を落とした。

「社内回覧板ですか？」

「これを、当社では『ラウティングスリップ』と呼んでいます」

「英語で呼んでいるんですか？」

「英語じゃないです。会社に勤めたことがない者同士が会社を作ると、本来の名前を知らないので、一般的な物にも新しい名前をつけるんです。ラウティングスリップと言って通用するのは、当社と、『羽田』ぐらいです」

「羽田空港ですか」

「いえ、セガ・エンタープライゼスという会社です。本社が羽田にあるので、『羽田』と呼ばれています。うちの社員は元『羽田』の人が多いので共通語が多いんです」

「それでは、違った会社間でコミュニケーションをとるのは難しい？」

「最近は、かなり改善されましたが、それでも『京都』と『羽田』の古参の制作スタッフが自分たちの方言で話をしたら、二百年前の京都人と江戸っ子との会話ぐらいちぐはぐになるかもしれませんね」あわてて、石丸は付け加えた。「ちなみに『京都』というのは、京都に本社のある任天堂という会社ですが」

「中途採用された木崎さんには、そういった事がストレスになりますかね？」

少し、間があいた。

「どうでしょうか。私はこの会社しか知らないので」

背広の男は立ち去った。

汐路は、背伸びして壁越しに石丸のパーテーションを覗き込んだ。

「私、ラウティングスリップは英語かと思ってました」

「英語圏で通用するとすれば羽田の海外子会社の中だけです。『ルーティングスリップ』なら、わかってもらえるかもしれませんが。ついでに言うと……」

石丸は、シマの入り口に貼られた『死の街』のポスターを指さした。『アウティング中』との貼り紙が貼られている。

「ついでに言うと、あの『アウティング』というのは、うちでは、できたソフトの原盤を品質保証部や工場に出すことを指しますが、羽田では社員旅行のことらしいですね」

汐路は、どれも専門用語だと思っていた。

汐路は、もう一度「大丈夫ですか」と尋ねる石丸に肯くと、席に戻りパソコンを立ち上げた。

さっき、木崎のところでケイジロウという名前を聞いた時から、何かがひっかかっていた。しかし、なぜ、ケイジロウにひっかかるのかがわからない。

汐路は、『ケイジロウ』という単語を検索サービスにかけた。このサービスは、世界中にあるホームページから『ケイジロウ』に関係したページを検索してくれる。アニメ会社、テレビ会社のホームページがヒットした。

アニメ会社のホームページによると、今でも毎週火曜日に放映されているらしい。内容は単純なロボットアニメーションで、ケイジロウは悪の組織のロボットを製作するエンジニアだった。キャラのリストの七番目に書かれているところを見ると、それ程重要なキャラとも思えない。テレビ会社のホームページも似たり寄ったりの情報で、こちらの方には正義の味方の声をあてる声優のインタビューが載っていた。画面のボタンをクリックするとその声優のインタビューの声が聞けるのだそうだが、汐路は遠慮した。

個人のページもいくつか開いてみた。

『クレイファイター』は、おもちゃメーカーとのタイアップが色濃く出た内容なのが災いしてか、熱いファンというのは獲得していなかった。その中でもケイジロウは人気がなさそうだった。調べた限りにおいて、ケイジロウファンと公言しているページは一つしかなく、中身もそれほど更新していない。アニメより他にケイジロウ関連のものはないかと探してみたが、何もなかった。

汐路は、AV資料室で『クレイファイター』を見ることにした。

制作部のAV資料室には、壁の一面に二十近いテレビモニターと各種規格のビデオデッキがある。ここでは各種地上波、衛星放送、ケーブル放送が受信可能で、ヨーロッパのパル規格のテレビやビデオも置いてあった。

若手の企画屋が、ヘッドフォンをつけて夜食用にコンビニの弁当を食べながら海外のスポーツニュースをじっと見つめていた。AV資料室の主と言われている男だが、時々、箸《はし》を鉛筆に持ち替えてメモを取っているところをみると、今は個人の興味で見ているのでなく、何かプロジェクト関連の仕事をしているのだろう。時たま、鉛筆で肉団子を突き刺して口に運んでいる。

もう一人、年取った男、といっても三十後半のプロデューサーが、映画会社から送られてきたパイロット映像を見て、「だめだな」と呟《つぶや》いていた。多分、この映画は、ネットワ・テック社ではゲーム化されない。

汐路は、空いているデッキとモニターを見つけた。資料棚で見つけたビデオテープを入れ、セレクターでモニターとデッキを繋《つな》いだ。

『クレイファイター』の再生が始まった。ひどいアニメだった。企画屋がゲーム化するかどうか判定する目で見るなら、オープニングを見ただけで「不可」と結論づけるような内容だった。

ストーリーは、「悪の三人組」と「善の三人組」が世界の秘宝を争奪するというもので、番組後半、双方の作ったロボットが対戦する。昔、大ヒットしたアニメのパクリだ。おもちゃメーカーは、このロボットを売り出したいようだったが、絵コンテすらまともに切っているのかわからないような作品では無理だろう。

「ひでえ『EP』だな……」

いつの間にか隣に来ていたプロデューサーが、声優のセリフを聞いて呟いた。

現在のゲームは、アニメと同じように多数の声優が出演しているが、声優の選定段階でディレクターやプロデューサーと若手の企画屋が対立することが多い。古参のディレクターは、若手の企画屋が推す声優を『EP』と呼んで毛嫌いする。若手の企画屋は、それに対して「また、『LP』ですか……」と、異を唱える。

まだ声優という職業が認知されていない時代に、アニメや洋画のアフレコは、俳優がサイドビジネス的に行っていた。この職業が若者のあこがれの的になってからは声優になるための専門学校などができ、俳優という職業から独立していったが、汐路の会社のスタッフは、それ以前の声優を『LP』、それ以降の声優、特にアニメ系の声優を『EP』と密《ひそ》かに区別していた。

EPとLPという言葉は、昔のレコードの規格から来ている。レコードのLP盤は、なるべく音を忠実に再生しようと録音された。それに対してEP盤では、どんな再生機器でもある程度きれいに聞こえるよう、音のピークを強調して作られていた。そこから、声のピークが強い世代の声優をEPと呼び、それ以前の世代をLPと呼んでいる。年齢的なものがあるのか、トレーニングの仕方に差があるのか、二世代の違いの理由はわからない。しかし、ゲームを作る方は明確な区別をしている。

そうした世代差のようなものは、ゲームを制作する側にもある。テレビゲームなどなかった時代に学生時代を送り、ゲーム産業を自力で立ち上げた者。学生時代にゲームの黎明《れいめい》期に触れ、この業界に入ってきた者。ゲームの全盛期を消費者として過ごしてから、業界に入ってきた者。カラオケや携帯電話といった次世代のメディアに脅かされた時に入ってきた者。さらに、ゲームメーカーが次世代メディアに活路を求め始めてから入社した者。

この五つの世代で、最初の世代と最後の世代間には、わずかに十五年の時しかない。これが映画業界だと百年近くある。

「いいんじゃないですか。ゲームの声優はEPで」

さっきまで、コンビニ弁当をつついていた第四世代の企画屋が、つい口を挟む。

「そうかい？　俺には、甘える声のパターン、みえをきる声のパターンが、どのEPでも同じに聞こえる」第二世代のプロデューサーがつまらなさそうに言った。

「それは年をとったんですよ。年寄りが今のロックグループの区別がつかないってやつと同じでしょ」

若い企画屋のセリフに、三十代の「老」プロデューサーは眉《まゆ》をひそめた。

年齢的には第三世代にあたる汐路は、どちらの言い分もわかる。音の再生条件が良くないテレビゲームでは、EPのピークを強調した声の方が向いているような気もするし、EPの均質な声のパターンは味気ないような気もした。

しかし、「それにしても、ひでえアニメだな」というプロデューサーのセリフには、他の世代の二人も完全に同意した。絵描き屋がファンになってぬいぐるみを集めたくなるレベルの作品ではない。汐路には、なぜ、あれほど木崎礼香がケイジロウの人形を集めていたのかわからなかった。

汐路は、がまんしながら画面を見続けていた。

いつの間にかプロデューサーはいなくなっていた。

「ねえ。君、火曜の夕方七時にここに来たことある？」

汐路は若い企画屋に尋ねた。

「ええ。毎日その時間には、ここで晩飯とってますが」

「木崎さん、この時間に来ていた？」

「ああ、あの人」少し考えてから「見たことないなあ」と答えると隅のゴミ箱に空になったコンビニ弁当を放り込んで資料室から出ていった。

汐路は一人になった。

誰かが予約していたのか、ビデオデッキの一つが自動的に録画を開始した。モニターには、イギリスのアニメ作家がにこやかにインタビューに答える姿が映し出されていた。

「彼女、家で録画予約してたんだ」汐路は、呟いた。

ひっかかるものがあった。

昔、一度だけ行った彼女の部屋には、テレビもビデオもパソコンもなかった。

「あれから、買ったのかな……」

『クレイファイター』は、既にエンディングに入っていた。

一瞬、過ぎていった画面に、はっとなった。あわてて、画面を停める。五秒程巻き戻した後、再生する。その画面は、正義の味方に殴られて、ケイジロウがくるりと一回転するシーンだった。汐路は、もう一度巻き戻してからコマ落としで再生した。

一回転するケイジロウの背中が映る。ケイジロウは、何か銀色の物をクロスさせて背負っている。

……まさか……

汐路は、ビデオテープをデッキに入れたまま、資料室を飛び出した。木崎礼香のパーティーションに走る。木崎のパーテーションの机の上から青い服を着たケイジロウの人形を一つ摑《つか》み取った。そのまま自分の机に戻った。ブラウザを立ち上げ、昨夜見た『ファーサイド・オブ・ザ・ニュース』のURL（ホームページのアドレス）を打ち込み、早瀬の事件のページを開いた。

少女たちが修学旅行に行ったときの写真が画面に映った。

汐路は、加害者の少女のバッグにつり下げられた人形を見た。昨日見た時は、解像度のせいで青地に銀の十字のアクセサリーにしか見えなかった。汐路は、手元のケイジロウの人形を裏返した。エンジニアのケイジロウは、大型ロボット製造用の巨大な銀のハンマーとドライバーをクロスさせて背負っている。汐路は目を細めて、両方のクロスを見つめた。同じ物のようにも見えたが、早瀬の少女のバッグについているクロスは解像度が低くてケイジロウ人形とは断定できない。

汐路は、『ファーサイド・オブ・ザ・ニュース』のページに載っている運営者の電子メールアドレスをクリックした。

メーラーが立ち上がる。

汐路は質問を打ち込んだ。

『こんにちは。

いつもファーサイド・オブ・ザ・ニュースを拝見しています。

さっそくですが、早瀬町の事件の件で是非お伺いしたいことがあり、メールを差し上げました。

加害者と被害者が写っている写真が掲載されていましたが、加害者のバッグについている人形部分の高解像画像ファイルを頂戴《ちょうだい》したいのです。

あつかましいお願いですが、よろしくお願いします』

汐路は、文面を読み返してみた。

この文章だと黙殺される可能性が高かった。ネットワークで画像ファイルを送って欲しいというのは、ひどく嫌われる種類の依頼だ。

「この世界の決まりは、情報のギブ・アンド・テイク」

汐路は、文章に追加した。

『ご存じかも知れないのですが、ネットワ・テック社で先日、無理心中事件が起こりました。加害者の女性がケイジロウというキャラクター人形を偏愛していました。貴ページの写真で、早瀬町の加害者の持っている人形がケイジロウならば、妙な偶然があるものだと連絡しました。

ばかげた思いですが』

送信した。

電子メールに書いたとおり、自分は、ばかばかしい思いにとらわれていると思う。加害者が同じ物を持っていたからといって、偶然以外の理由などないはずだった。ただ、何か気持ちの悪い違和感が消えなかった。

八月二十九日

汐路が車で川越市《かわごえし》にある木崎礼香のアパート前についた頃には、夜もすっかり暮れていた。もう少し早い時間に訪れたかったが、この数カ月の疲労と睡眠不足で、朝、寝袋に入った汐路が起きた時には、日は落ちていた。

汐路は二階にある木崎の部屋を見上げた。明かりがともり、中で人の動く影が見えた。ベルを押すと、ドアが少し開かれた。チェーンのかかったドアの隙間から、やつれた初老の女が顔を覗《のぞ》かせた。

「私、木崎礼香さんの同僚で、島汐路と申します。この度のことはお悔やみを申し上げます」汐路は深々と頭を下げた。「失礼ですが礼香さんのお母様？」

初老の女は肯《うなず》いたが、ドアチェーンを外さず、ぼんやりと汐路の顔を見つめている。汐路は、ドアチェーンごしに自分の運転免許証と社員証を渡した。

一度、ドアは閉まり、しばらくして再び開いた。

「礼香は、まだ警察から戻ってませんの」

女は汐路に免許証と社員証を返しながら呟《つぶや》いた。司法解剖は、終わっていないようだった。

「入っていいでしょうか。実は彼女に借りていたものを返そうと思いまして」

しばらく女はとまどっていたが、「どうぞ」と、声を出した。

汐路は中に入った。

ごく普通の女性の住む部屋だった。二年前に訪れた時とそれ程変わっていない。キッチンとリビング、そして寝室のある、一般的なアパートだ。

汐路は、リビングに入った。ちらりと机の上に目をやった。この前訪れた時には無かったパソコンが置いてあった。それを無数のケイジロウの人形が守るように並んでいる。

「ここに返しておきます」

汐路は、バッグの中からケイジロウの人形をとりだし、パソコンの側に置いた。昨日、会社の木崎の机から拝借したものだった。

汐路は、さりげなくフロッピードライブに挿入されているディスクを手に取った。Ｄｏｓのディスクだった。

……多分、このパソコンのハードディスクはフォーマット（初期化）されている……

Ｄｏｓでフォーマットされたパソコンには、何の情報も残らない。ちらりと見たケースの中のフロッピーディスクもラベルがはがされている。

会社で木崎が使っていたパソコンも多分フォーマットされていると思われた。警察が調べても何も出ないだろう。

「あのう」

振り返ると木崎の母親が机に湯飲みを置いていた。

「主人がこんなありさまで、恥ずかしいです」

半分ほど開かれた仕切の奥にある寝室では、初老の男が背を向けて木崎礼香のベッドの上にいる。横になってはいるが、眠っていないように思えた。

「いったい、何があったのでしょうか？　会社も警察も何も話してくれませんし」

木崎の母親は、立ったまま盆をにぎりしめていた。

「さあ、私にも……。礼香さんは何か言っていましたか？」

「あの子は、めったに電話もしてきませんでしたから」母親は、うつむいた。「でも、あんな、だいそれたことをする子じゃないんです。いったい宇賀神という女はどんな女だったんでしょう？　主人は、きっと落としたのは、宇賀神美樹の方だと言っています」

母親としては宇賀神に責めを負わせなければ救われないのかも知れなかったが、汐路に言えることは何もなかった。汐路は母親の話を聞きながらも部屋の隅々に目を走らせ、どこにもビデオやテレビの無いことを確認した。パソコンもテレビチューナー内蔵型ではない。

汐路は立ち上がると、もう一度、お悔やみを言ってから部屋を辞した。

自分の車に戻ると、シートに深く身を沈めた。酷《ひど》く疲れる訪問だった。再び出社する元気を取り戻すために、車を回り道させた。

会社に着いた汐路は、パソコンを立ち上げた。

『ファーサイド・オブ・ザ・ニュース』の運営者からメールが届いていた。メールに画像ファイルが添付してある。

……やった……

汐路は、画像ファイルを開こうとした。

「あのう」

振り返ると、石丸がパーテーションの入り口に立っていた。

「部長と副部長が会議室に来るようにって」

汐路は、メモと筆記用具を手にして立ち上がった。

「何でしょうか?」

「用は来てから話すそうです」石丸は渋面をつくった。「でも、状況から考えて、ろくでもない話でしょうね。だから、嫌な場合は、はっきり嫌と言った方がいいですよ。僕もフォローしますから」

「私は今まで、嫌な時は、はっきり嫌と言っていますが」

石丸は汐路のセリフに微笑んだ。

会議室に入ると部長、副部長の他に、宇賀神チームのソフトチーフと企画チーフが並んでいた。全員が、ひどく落ち着かない様子だ。アルファ審査前の時期にプロジェクトの要《かなめ》のディレクターと絵描きチーフを同時に失ったのだから彼らの混乱ぶりも理解できた。

アルファ審査は、ゲームの基本ができた時点で宣伝、販売、品証の各部の部長と制作担当の常務によって行われる。この審査でプロジェクトを継続するかどうかが決まる。あっさり合格すればいいが、不合格なら制作期間の延長、制作内容の変更が指示される。最悪の場合はプロジェクトの中止を言い渡され、制作部の関係者は、それまで一億円近くかけた経費の責任を問われることになる。

「知っての通り、こういう事態だ」プロデューサーを兼任しているソフト屋あがりの副部長が泣き出しそうな顔で話し始めた。「今度のアルファ審査で不合格になったら、春商戦をのりきる弾がなくなってしまう」

先走る副部長を部長が制した。

「宇賀神のゲームは、はっきり言ってアルファ審査を超えられるレベルにはない」

当然だった。ディレクターと絵描きチーフの関係が破綻《はたん》していてまともなものができるはずはない。

「石丸。アルファ審査が終わるまで、このプロジェクトのディレクターをやってくれないか？」

副部長は後を継いで、窮状を延々と訴えた。

その間、黙って聞いていた石丸は、「アルファ審査はいつやるんですか？」と、尋ねた。

「三日後」

石丸は、ため息をつき、再び黙り込んでしまった。

「島には石丸の下で絵描きのチーフをやって欲しいんだが」

「それは、だめです」石丸がぴしゃりと言った。「島さんは既に退職届けを出しています。とっくに有給休暇と代休の消化期間に入っています。今まで出社していたのもほとんどボランティアです。僕が臨時のディレクターになるのは承諾しますが、島さんはだめです」

石丸の強い口調に、部長と副部長は黙ってしまった。

その沈黙の中で汐路は、『私はいいですよ。仕事は嫌いじゃないですから』とメモに走り書きをして、こっそりと机の下の石丸の膝《ひざ》の上に置いた。石丸はメモに視線を走らせた。

「とりあえずアルファ審査までのディレクターは、やります。審査に合格できるかどうか確約できませんが。島さんのことについては二人で話し合いをさせてください」

部長は、ほっとしたようだった。

「それで結構だ。一時間後に返事が欲しい」副部長は宇賀神チームの企画チーフを見た。

「最新のロムと原案書、企画書、仕様書を石丸んちに持って行ってくれ」

会議室でのミーティングは、あっさりと終わった。

石丸と汐路は会議室から出た。

「島さん、いいんですか？」

「いいですよ。『死の街』が品証から帰ってからのチェックには、おつきあいできないからそのかわりということで」

「こっちのスケジュールの遅れも僕の責任ですから、そう言われると心苦しいですね」

石丸は、すまなさそうに微笑んだ。

汐路が自分の席に戻ると、モニターの画面にメールソフトが開きっぱなしになっていた。

「そうだった」

汐路は、『ファーサイド・オブ・ザ・ニュース』からのメールを開いた。運営者からの返信は、『画像ファイルどうぞ』というそっけないものだった。汐路はメールに添付された「アクセサリー・jpg」と書かれた画像ファイルを開いた。こちらの要請通り、加害者の人形部分が高解像でとりこまれている。

ケイジロウの人形だった。

汐路は運営者に『ありがとうございました』と返信した。

それから、しばらくその画像ファイルを見つめた。

……同じ物だからといって、それがどうしたの……

自嘲《じちょう》気味に呟いた。

隣のパーテーションから声が聞こえてきた。

「これが最新のロムです。原案書、企画書、仕様書は、石丸さんのパソコンから見られるようにしておきました」

汐路は立ち上がると、パーテーションの壁越しに石丸んちを覗《のぞ》き込んだ。宇賀神チームの企画チーフとソフトチーフ、それに絵描きサブチーフが来ていた。汐路は画像ファイルを閉じ、石丸のパーテーションに入った。

石丸は家庭用ソフトの開発機にＣＤロムを差し込んだ。

オープニングが始まった。

「メインコンセプトは？」

石丸がオープニング画面を見つめながら尋ねた。

「ネオンの輝く中での饗宴《きょうえん》」ソフトチーフがため息をついた。「設定は、ネオンのきらめく夜の都市があって、その中を人力飛行機で競争するというものです」

「なるほど」

石丸はプレイし始めた。

奇妙に眩《まぶ》しい雰囲気のゲームだった。汐路には、ネオンの輝くカジノの街というよりも夜中のコンビニ店内の明るさのように思えた。

「努力したんですけど、ネオン街の雰囲気がでなくて」絵描きサブチーフが言い訳するように呟《つぶや》いた。「でも、宇賀神さんの考えていたことなんて、実現困難なことだったたんですよ」

「最初、プロジェクトは僕と宇賀神さんと木崎が始めたんです」ソフトチーフが言った。

「昔、三人でセスの調査に行って……」

「セス？」汐路が石丸に聞いた。

「コンシューマ・エレクトロニクス・ショーですよ。家電製品やゲームの世界最大のショーで、アメリカ各地で開かれます。宇賀神さんたちはどこに行ったんですか？」

「僕たちが行ったのは、ラスベガスで開催されていたやつです。夜になってホテルから散歩に出たんですけど、街全体がネオンの光でいっぱいで……。宇賀神さんが『こんな世界で何かやるゲームがしたい』って言って」

「なるほど、舞台設定は、ラスベガスのイメージですか」

石丸は、ゲームを操作しながら呟いた。

「木崎は、人力飛行機のレースがしたくて……。それで、ラスベガスの夜景の中で飛んだら綺麗《きれい》じゃないかと……。最初は、意見は一致していたんです」

「そんなゲームができれば、名作中の名作になるでしょうねえ」石丸は、呟いた。「できればですが」

「難しいですか？」

汐路は、宇賀神のメインコンセプトの実現が、それほど困難だとは思えなかった。

「挑戦した者にしかわからないけど至難の業なんですよ、ネオンの光で明るい世界というのは……。今までのゲームでかろうじて成功したのは、ずっと昔に羽田の創った『メイズウォーカー3D』というゲームぐらいですね。後は良い線まで行っているのもいくつかあるけど、他の大多数では失敗しています。闇の中でネオンの光を出すというのは、テレビゲームの一番苦手な演出の一つです。明るい世界だけとか、暗い世界だけを描くのは簡単なんだけど」

石丸は、ため息をついた。「僕の入社二年目のゲームがカジノゲームでしたが、苦労したんですよ。周りが夜で、その中に強烈なネオン光の空間があるというのは、確かに興奮する世界なのですが」

「その『メイズウォーカー3D』という羽田の創ったゲームは、参考になりませんか？」

すがるような声で企画チーフが尋ねた。

「あれは立体視ゲームだから参考にならないんですよ。立体視の装置の特性で殆《ほとん》ど偶然にできたようなものだから……。まあ、ソフトを作った方も天才だったのでしょうが」

石丸のモニターには、存在感の薄い架空の街がある。ネオンサインに花火、サーチライトと、小道具には事欠かないが、ラスベガスの持つ華やかさは再現されていない。ただ、蛍光灯に照らされているような、明るいが白々しい街になっている。

「一カ月前には忙しいスケジュールをやりくりして、何とか立て直そうと三人でラスベガスに行ったんですけど、そのあたりからは人間関係もがたがたで、やり直しや方針の変更なんかしょっちゅうになって」

ソフトチーフは、ため息をついた。

典型的なプロジェクト崩壊のパターンだった。

石丸はゲームパッドを置いた。

「とりあえず十時間後に改善点を提案しますから、それまで仮眠室で寝ていてくれませんか？」

「いや、僕はやることがありますから」

ソフトチーフは、ひげだらけの顔をこすった。汐路の目にも、彼の精神や肉体は限界に来ていることがわかった。

「やることは、僕が十時間後に伝えます」

ソフトチーフは石丸を睨《にら》んだが、じっと見つめる石丸から視線をはずすと、パーテーションから出ていった。他のスタッフも彼に続いて仮眠室に向かった。

汐路は石丸からCDをもらうと自分の席に戻り、ゲームを走らせた。

レースのゲーム性は良くできていた。しかし、画面の絵は最悪だった。石丸の言ったとおりネオン光の感じが出ていない。汐路は必死に改善する方法を考えたが、思い浮かばない。三日程度の改善で、どうにかなるとは思えなかった。

汐路は三十分ほどプレイしたが、それだけで頭痛がしてきた。汐路は、ドライブゲームなど立体的に構成されたリアルタイムで動く3Dゲームをすると必ず頭が痛くなった。こめかみに指を当てた。

「島さんも、3Dゲームすると頭が痛くなるんですか？」

声のする方を見ると、石丸がパーテーション越しに汐路の方を見ていた。長身の石丸だと、立っているだけで首から上がパーテーションの壁を越える。

石丸は、「これ、隠しコマンドのリスト。仕様書の中にありました。遅まきながら」と制作者用に作られた操作方法のリストを壁越しに汐路に渡して、自分の椅子に座った。

「石丸さんも頭が痛くなるんですか？」汐路は、壁の向こうの石丸に声をかけた。「でも、どうしてでしょうか？　なる人とならない人がいるようですけど。私は、映画なんかは何時間見ても頭が痛くなることはないですよ。単に目の疲労から来る頭痛ばかりとは思えませんが」

「映画とゲームでは、決定的な差があるんですよ。ゲームは進む方向を自分で決めますよね。島さんは、実際に歩いている時、意識しないと思うけど、いろいろな情報をフィードバックさせて歩いているんです。転ばないように、道からそれないように……足の感覚も含めて外の世界との無限のやりとりがあります。ゲームをする場合も、主に視覚情報だけですが、脳は入力結果を常に確認しながら次の行動を決めているんです。そこに、今までの経験から、こうあるべきだという予想と微妙に違う情報が入る。3Dの映像は、やっぱり現実世界とは微妙に違いますからね。きっと、無意識の中で頭と目は必死になってその差を整合させようとしているんじゃないでしょうか。単なる憶測なんですけど、その疲労が頭痛になるということもあるのではないかと……あっ、くそっ！」

壁の向こうから派手な転倒音が聞こえた。

どうやら石丸の操作する人力飛行機が墜《お》ちたらしい。

「でも、子供はゲームをしていても頭痛なんか起こしにくいのは何故ですか？」

汐路は壁の向こうの上司に尋ねた。

「レースゲームでカーブを曲がっても一緒に体を傾けることもないですしね。よく子供がゲームと現実世界を混同させるなんていうけど、少なくともレースゲームなんかでは逆じゃないでしょうか。現実世界とは別の世界だと無意識的に理解しているようにも見えます」

「今のゲームは、リアルにリアルに作ってますね。そうした画面と現実世界のずれが微妙になればなるほどストレスは小さくなるんでしょうか？　それとも大きくなるんでしょうか？」

「大きくなるんじゃないですか。僕に関して言えば、新しいゲームになるほど眼精疲労とは別の原因の頭痛は、頻度が上がっているような気がします」

「それは私たちが、年を取ったからじゃないですか？」

隣のパーテーションから「そうかも知れません」という苦笑いの混じった声が聞こえた。

汐路もつられて笑った。

「思い出したんですけど、子供の時に今と同じような頭痛がしました。私、従姉《いとこ》の家に行くとすぐに頭痛がしたんです」

「家で？」

「ええ。従姉の家なんですけど、実家と同じ間取りなんです。ただ、少しずつサイズが大きかったり、装飾が豪華だったり……。そんな差でもストレスになるんでしょうか？」

「まさか」石丸は笑った。「同じ間取りって、建て売り住宅ですか？」

「いえ。明治時代に建てられた、とんでもなく大きい家ですよ。今の言葉だと20LDKですか」

「そいつは、すごいですね」

「LDKというのは、『炉端・土間・かわやは外』の略ですけど」

一瞬の沈黙の後、くすくす笑う声が聞こえた。

「でも、それならなぜ同じ間取りなんですか？」

「二つの家は、田舎では名家なんです。だから先祖同士持っていたすごいライバル意識が、田舎らしい形で噴き出したんでしょうね。オリジナルなアイデアには敬意を払わず、どこも少しだけ大きく豪華にという形で競争する……」

「島さんは故郷が嫌い？」

「大嫌いですね」

汐路のはげしい口調に、石丸は少し黙り、それから話題を変えた。

「さっき後ろから島さんがプレイするのを見ていたんですけど、人力飛行機を左右に旋回させる時、盛大に体がゆれていましたね」

「こっそり見ていたんですか？」

汐路は笑って石丸のパーテーションの壁を見た。

「ごめん」石丸は、あっさりあやまった。「でも、不思議ですよね。例えば車のレースゲームなんかがそうですけど、画面には自分が乗っている車が出ていて、それを後ろから見ながら操作するでしょ。今まで、ドライバーが絶対に体験しなかった視点なんですよ。なのにその視点から操作する時が一番、加速を感じます」

石丸に言われてみればその通りだった。

「車自体に感情移入しているのかどうか知りませんが、ゲームを創る上で、リアルとリアル感の違いを考えるには重要なことだと思うんですよ」

ゲーム業界では、自分の得た知識を口伝えで後輩に伝える習慣がある。古い伝統的な徒弟制度に似てなくもない。石丸としては、汐路に大切なことを伝えきれないという気持ちがするのだろう。意識しているのかどうかわからないが、寡黙だった石丸は、汐路が退社を表明してから多弁になっている。

「頭痛とかリアル感とかについて、VR（バーチャルリアリティ）の研究家は、なんと言っているんですか？」

しばらく沈黙があった。自分の質問が石丸には聞こえなかったのかと思い始めた頃、やっと石丸が口を開いた。

「僕の同期で、ネットワ・テック辞めて医療機器のメーカーに入った奴がいるのですが、そこで、VRの医療応用というのをやらされたんです」

「どんなものですか？」

「トレッド・ミルっていう歩行器があるでしょう」

「ベルトコンベアみたいなものの上で歩くリハビリの機械ですか？」

「そう。ただ、殺風景なリハビリ室でリハビリするのは精神的に苦痛だから、前に大型モニターを設置して歩く速度に合わせて風景を変えようっていうプロジェクトでした。友人はその映像をつくることになって、その研究プロジェクトに配属されたんです」

「結構なことだと思いますが。ゲームみたいに注視しないから頭痛も起こりにくいですし」

「そのプロジェクトには、VR学会の先生方もおられたんだけど、彼らがどんな映像を発注したと思いますか？」少し間があった。「美しい浜辺の散歩から、海に入り、珊瑚礁《さんごしょう》の水中を散歩する映像。一人だと寂しいので、手をひく綺麗《きれい》な海女さん付き」

「ええっ」汐路は、驚いた。

「そう。『そんな馬鹿な』ですよね。うちの会社では禁止されている演出を三つやっている。一つは、リアルな海中での移動とプレイヤーの操作が同期している。二つ目は、海中映像から開始せず、海に入るところから始めている。三つ目は、ゲーム画面にプレイヤーが感情移入しやすい海女さんというキャラクターを配置している」

こうした演出をすると、プレイヤーの何パーセントかは、実際に海に入るのと同じように無意識に息を止めてしまう。そして、演出を重ねるほど、息を止めるプレイヤーの割合は増加し、息を止める時間も長くなる。座ってやることの多い家庭用のゲーム機では水中の緊張感を出すためによく使用される演出だが、立ったままプレイするゲームセンター用のゲームの場合、そのまま転倒、事故に繋《つな》がるおそれがある。

「心臓が悪いのかどうかはしらないけど、リハビリを開始したばかりの患者が、運動しながら無意識に息を止めたらどうなるか……。つまり、言いたいことは、VRの学者さんが、先に危険を警告してくれるとは期待しない方がいいということです。自分たちで先に危険は察しないとだめですよ」

「そんなに学者は阿呆《あほう》なんですか？」

「阿呆というよりも、興味の対象や、やるべきことや、やり方が違っているんでしょう。学者が僕たちみたいなことを始めたら、世界は、剣と魔法の世界に戻ってしまいますから」

石丸は冗談めかして応《こた》えたが、汐路は石丸の口調から、何かの感情を押し殺しているのを感じた。

「そのお友達はどうしたんですか？」

「学者と医者の機嫌を損ねて会社を辞めさせられました。今は実家の工務店を手伝っているようです」今度の口調には、はっきりと怒りの響きがあった。

「さてと……、改善提案の内容が決まりました。後は、スタッフが起きてくるのを待ちましょうか」

「もうできたんですか？」

「思ったよりゲーム性の部分は、きちんとできていました。島さんにもあまり負担をかけずに改良できそうですよ」

「私は何をしましょうか？」

「それは、十時間後……もう八時間後ですか、その時のお楽しみというわけで、どうぞ帰宅してください」

八時間後というと今日の夕方からということになる。

汐路は、ブラインドの隙間から朝日の射し込み始めたオフィスを退出した。

八月三十日

出社するなり、汐路は石丸のパーテーションを覗《のぞ》いた。

宇賀神チームのスタッフは、仮眠室から起き出していない。石丸は、こめかみを押さえながら宇賀神チームの作ったレースゲームをプレイしている。あまりに真剣なので、レース中に声をかけるのがためらわれた。

石丸の操作する人力飛行機は、一位でゴールした。日中、必死になって練習したらしい。画面では優勝を祝う花火が打ち上げられていた。石丸の全身から力が抜けるのがわかる。

汐路は微笑み、自分のパーテーションに行こうとして、ふと気がついた。

「石丸さん、こんばんは」

「はい。こんばんは」

再びレースを始めた石丸は、汐路に背を向けたまま答えた。

「石丸さん。今、気がついたんですけど、最後に花火のシーンがありますよね。最初の一発目の音が大きくて、あとの音が小さいような気がしたのですけど、バグですか？」

石丸の肩が少し揺れた。笑っているらしい。

「うちの『死の街』で、吸血鬼が心臓に杭《くい》を打ち込まれる音がありますよね。ドンドンドンって。あの音も一音目だけは大きくしているんですよ」

何度もプレイしたのに、汐路は気づかなかった。

「どうしてそんなことを？」

石丸は、ちょっと首をひねった。どう説明しようか考えているらしい。しかし、指だけはゲームパッドの上で激しく動いている。

「島さん。突然、電話が鳴ったらどんな感じがします？」

「びっくり……が正解ですか？」

「うん。びっくりしますよね。電話は、いつ鳴るかわからないから、突然鳴り始めるとびっくりして、一音目は実際より大きく感じるんです。ところが、ゲームで電話が鳴るときには、前もって画面に電話を出さなくてはならない場合が多いんです。そうすると、プレイヤーは、『ああ、これから電話が鳴るな』と思ってしまいますよね。突然電話がかかってきたときの感じが出ないんです。これは特にホラー系のゲームだと致命傷になります。だから、電話は突然鳴ったと錯覚させるために、一音目を大きくするんです。一音目が大きいと、何度かプレイした後でも、『自分は、びっくりしたんだ』と思わせることができます」

汐路は驚いた。

「気がつきませんでした」

「断続的に鳴る音の場合、最初の一音と続く音は、よほどの差がないと強弱の区別がつきませんから。多分、突然鳴り出す音の一音目は音が鳴り始めたことに意識がいって、二音目との強弱の比較ができないからでしょうね。二音目だけとか三音目だけとかが強いと、まず確実に気がつきますが……。もうすぐ優勝の花火を打ち上げますから、ちょっと確認してみてください」

石丸の操作する人力飛行機がトップで最終コーナーに入った。ゴールが近づいてくる。

突然、画面の隅からライバル機が現れて、石丸の人力飛行機を抜いて先にゴールした。

優勝を祝う花火は出現せず、くやしがるパイロットの顔が大写しになった。

石丸は呆然《ぼうぜん》と画面を見つめていた。

「最近のゲームはみんなそうした演出をしているんですか？」

石丸は、照れ笑いをしながら振り返った。

「いいえ。やっている会社もありますし、やってない所もあります。やっている所の作ったゲームでは、どれでも必ず入れてますが、他の所は、そうした演出があることさえ気づいてないでしょう。そういった演出の総和で各会社のカラーみたいなのが出てくるんでしょうね。人の移動の激しい業界だから、最近は差がなくなってきましたけど」

「知りませんでした。勉強しないといけないことは、まだまだあるんですね」

「島さんが何か効果的な演出を思いつかない場合は、退職後でもいいですから、この会社に電話して誰かに聞くといいですよ。きっといい意見が聞けるでしょう」

この業界で働いている者は、会社に対するロイヤリティが低く、制作者同士としての連帯感は強い傾向がある。石丸の言うとおり、かつての同僚に会社の知的財産ともいうべき情報を教えてくれるだろう。

二人が話していると、宇賀神チームのスタッフが、めいめいキャスター付きの椅子をころがしてきて石丸の周りに集まってきた。スタッフは緊張している。アルファの期日は、二日後に迫っていた。

石丸はメモをスタッフに渡した。

「ちょっとこんなふうに、絵を修正しようと思っています」

石丸のメモに目を走らせた絵描きサブチーフは愕然《がくぜん》として、「こんな値に修正したら街の明るさがなくなってしまう」と、思わず大きな声をあげた。

石丸は微笑んだ。

「今のネオンは、明るさを出そうとして白輝度を強くしすぎました。それで蛍光灯の世界

ます」

「もちろん、暗くなったらラスベガスじゃない。そこで、プレイヤーに明るさを錯覚させになっているんです」

「でも……」

反論しようとするサブチーフを石丸は軽く手で制した。

石丸はソフトチーフを見た。

「まず、ソフト屋さんになんだけど、プレイヤー以外の機体は、サイズを実際より二倍の大きさにして欲しいのですが、できます？」

「パラメータの変更だけだから五分仕事。コンパイル（プログラムを最終の形にすること）にはもう少し時間がかかります」

ソフトチーフは、馬鹿にするなというような目で石丸を見た。

「それから、人力飛行機に当たるサーチライトの光は、一方向からだけですよね。照らすサーチライトが切り替わるように変えてほしいのですが」

「つまり、右下から照らしたり、左上から照らしたり切り替えろということですか？　絵があれば、一日でできます」ソフトチーフは、石丸の改善提案を受け入れた場合の画面を思い浮かべているようだったが、やがて一言、「くそっ、その手があったか」と呟《つぶや》いた。

「どんなタイミングで？」

若いソフト屋が尋ねる。

「BGMに合わせて」石丸は、ゲーム中に流れる曲のスコアを取り出した。パーカッションのパートに、数ヵ所の赤い印がつけてある。「ここの部分でパーカッションの一打毎に絵を切り替えてください。音の刺激と明暗の点滅で光の強さを錯覚させます」

若いソフト屋は、顔をしかめた。

「それは無理です。音は、CDロムから直読《じかよ》みしてます。プログラムの方には、曲が始まったのと鳴り終わったのを知らせる信号しか届きません。いま曲がどのあたりになっているかは、プログラムの方ではわかりません」

「ある音楽のパターンが来たら光源を切り替えさせるのは無理ということですね。それでは、音楽が始まって何分何秒目かと指定して光源を変更するのは？」

「絵描き屋さんから光源を変えた絵をもらえばできます」

「どの位で？」

「調整を含めても一日仕事。代わりに遠くのネオンサインの一つ二つは、処理速度の関係で消えるでしょうが」

答えたソフトチーフは宙を睨《にら》んで、黙り込んだ。既に頭の中には、これから打ち込むプログラムが浮かんでいるらしい。

石丸は絵描きサブチーフの方を向いた。

「絵描き屋さんはどうです」

「光源を変えるだけですから、データは一晩でできますよ。パソコンが勝手にやってくれます」

石丸は肯《うなず》いた。

「あと、一コースに出てくる建物や空の絵は、さっきのメモの値どおりに変えます。これは、僕と島さんがやります。ソフト屋さんに渡しますから入れ替えてください。偉いさんにはこの一コースだけ見せましょう」

石丸は全員を見渡した。

「で、変更点は以上です。全体の仕事量としてはそんなに多くないでしょ。それで十分、アルファ審査ぐらい突破できますよ。審査の後は、スケルトンスタッフ（助っ人無しの最初からのスタッフ）でがんばってください。……質問はありますか？」

「あのう。いいですか」

汐路は手を挙げた。

「今の改善案だと、随分、明暗の点滅が多いような気がするんですが」

「光点滅障害の可能性？」

汐路は肯いた。

かつて、アメリカで明暗を繰り返すテレビゲームをやっていた少年に、意識を失うなどの症状の出た事件があった。国内のゲームメーカーは、ただちに過剰な光点滅を自粛したが、他のメディアは事件を軽視した。そのために、数年後、有名アニメの放送で多数の視聴者が同じ被害に遭うことになった。

「もちろん点滅の出現回数、パターン、点滅する面積、明暗の差は徹底的に絞ります」

宇賀神チームのスタッフたちは、納得したのか、黙って自分たちのシマに帰っていった。

残った汐路は石丸に質問した
「あんな簡単なことで、アルファ審査を乗り越えられますか？」

「そんなものです。プロジェクトが煮詰まると、一つのことにとらわれて簡単な解決方法が見えなくなります。どんどん無用の力業の改良をつづけて、疲れて、簡単な解決方法から遠ざかる、という悪循環にはいるんです。死者に対して不謹慎だけど、宇賀神たちは、簡単な解決法から遠ざかった。さらに切羽詰まった場合には別の解決方法もあったのに」

「その解決方法は、何だったんですか？」

「大声で『助けてくれ。私はもう限界』って叫んでまわるんですよ。そうしたら、まだ手はあった」石丸は、くやしそうに口元を歪《ゆが》めた。「それでダメなら会社から逃げる」

そう言い切る石丸に、汐路は反発を感じた。

「石丸さんならそうできましたか。それに、限界の線は、なかなか当事者には見えないような気がするのですが」

石丸は、何かを考えている様子だったが、「で、僕たちの仕事ですけど」と話題を変えた。

石丸は、さっきのメモを汐路に渡した。ゲームの絵が四種類に分類されていて、それぞれに、輝度、彩度、コントラストの調整値が書かれている。

「一律調整でいいんですか?」

「半分ずつ仕事を分けましょうか?」

「私ひとりで、一時間でできますよ。ほとんどパソコンがやってくれます。石丸さんは、水槽の世話でもしててください」

汐路は、いらだち、きつい口調になっていた。いらだちの原因が石丸のせいではないことは、わかっているが、自分を抑えられなかった。何かの原因で限界を超え、引き返してこなかった父親と、そこまで事態を放置していただろう母親のことが連想されたからだった。

汐路は、気を取り直して仕事に戻った。パソコンに絵の修正値を入力する。それからは、作業らしい作業はない。パソコンが汐路の指示通りファイルを修正し、指定した場所に自動的に納めていくのを見ているだけだ。何もすることがなくなった。

汐路はブラウザを開いて、早瀬町のホームページを開いた。

汐路は、退職後、カナダにある会社に履歴書を送るつもりだった。返事が来るまでは、しばらく埼玉でいろいろな勉強や準備をする予定だったが、今はカナダからの返事を待つ間、早瀬に戻って女子中学生が同級生を撃った事件を調べてみようと思っている。

早瀬に帰ること、ましてしばらく住むことは、汐路にとって苦痛だった。しかし、宇賀神たちの事件の前に、自分が何もしなかったことが、心にひっかかりつづけていた。このまま、さらに何もしないで過ごす気にはなれなかった。姉の明奈には、再就職前にしばらく実家で休養すると伝えてある。明奈は、ひどく喜んでいた。

　画面に早瀬町のホームページが表示されている。トップのページに大きく町長の写真と挨拶文《あいさつぶん》が出ていた。

「よしてよ」

　汐路は呟《つぶや》いた。

　昔、自治体が自分の町のホームページを作るブームがあった。最初のうちは首長の顔写真をトップページに載せているものが多かった。しかし、今時、まともな自治体で、ホームページをそんな構成にしているところはない。ホームページを見る人がどんな情報を最初に欲しがるかは、誰が考えてもわかる。少なくとも首長のでかい顔写真ではない。この前世紀の遺物のようなページの下にはカウンターがあり、八千何人かがこのホームページを見たと出ているが、関係者だけだろう。

　汐路の想像したとおり、ホームページの内容は退屈なものだった。名所や名物紹介の情報が雑多に並んでいる。汐路は、トップページにある『町の自然』というボタンをクリックした。

　町の南部にある採石場の航空写真が出ていた。採石場の中央で、地面の色は黒と茶色に分けられていた。説明文には、『早瀬町では日本最大の断層と言われる中央構造線が見られます』と、あった。

　……地震の巣より他に自慢することはないのかな？……

次に汐路は、『町の歴史』をクリックしてみる。

『江戸時代、早瀬町は将軍の天領として栄えました』

町にとっては、それが誇りらしい。汐路も小学校の一年生の時に教師から誇りに思うようにと言われたことがある。その当時、早瀬は特別なところだと思っていた。今になっては冗談以外のなにものでもないが、その冗談に未《いま》だに早瀬の住民の多くは、とらわれている。奇妙な優越感から、工業都市として発展した隣の市と相性が悪いと、姉が電話で教えてくれた。

スクロールしながらぼんやり見ていると『敬次郎』の文字があった。

あわてて、スクロールを元に戻す。

『明治後期に名匠・近江《おうみ》敬次郎によって造られた家がいくつもあります』

汐路は、『家』の部分をクリックした。見覚えのある家の写真が並んでいた。そのうちの一つは、汐路が住んでいた家だった。説明のテキストを読む。

『近江敬次郎は、明治中期に活躍した大工の名棟梁《めいとうりょう》で、若いときには江戸の豪商の家を主に手がけました。晩年に早瀬に移り住み、五棟の家を造りました。東京に建てられた敬次郎作の家は、関東大震災と空襲で殆《ほとん》どが焼失してしまいましたから、早瀬町にあるものは、貴重な文化遺産と言えます』

……けいじろう……

記憶の片隅にひっかかっていたものが表に出た。確かに、子供の時に誰かから聞いたことがあった。『この家は、名匠、敬次郎の手によるものだ』と……

汐路は、木崎の机から、また借りていたケイジロウ人形を再び手に取った。

続くページには、敬次郎の家の持つ歴史的意味について何かの論文からの引用があった。寄稿者は愛媛大学環境工学部の教授となっている。汐路は、その名前をコピーした。

汐路はトップページに戻った。トップに戻るたびに首長の顔を見せられるのには、うんざりする。トップページから『リンクのページ』をクリックした。リンクに並んだリストには、通常、そのページと関連のある、もしくは友好関係にあるホームページの紹介があり、クリック一つで、そこのページに行くことができる。

汐路は早瀬町のホームページにあるリンクのリストを見た。『愛媛県庁』があるのは、しかたないとして、『首相官邸』を筆頭にした中央官庁がずらりと並んでいる。汐路は、これが田舎役人の片思いか、ごますりか、それとも何かの勘違いかはわからなかったが、政治家や中央官庁の官僚がこのリストを見たり、たまたま早瀬のページを訪れた人が、このリストから中央官庁に飛ぶということは絶対にないことは確約できた。それから『首相官邸』のホームページのリンクに早瀬町が載っているわけがないことも。

リンクの後半に、やっと早瀬関連の機関があった。『早瀬町立病院』『早瀬町立図書館』『早瀬中学』『早瀬高校』『早瀬警察署』がある。汐路は、『早瀬警察署』をクリックした。

ここにも警察署長の微笑む顔がトップページに載っている。警察署長の挨拶に、『早瀬は、一部種別が全国平均を上回るものの、窃盗、強盗、強姦《ごうかん》、放火、粗暴犯、少年犯とも全てが全国平均をはるかに下回り、全体としては治安の良い町です』とあった。

……一部種別ってなんだ？　妙にひっかかる表現……

頭に浮かぶ犯罪から、窃盗、強盗、強姦、放火、粗暴犯、少年犯を引いてみる。簡単に答えが出た。

……殺人？……

明奈が、年に二、三件は殺人事件があると言っていたのを思い出した。

汐路は、早瀬町のトップページに戻った。

「地方自治体の作ったページを見ているんですか？」

振り返るとパーテーションの入り口に石丸が立っていた。

「うちの田舎のです。帰省する前に情報を仕入れようと思ったのですが、自治体のページは使えないですか？」

「使い方にもより、個々のサイトにもよるでしょうが、首長の顔写真をトップに載せているのは論外でしょう。首長の顔なんて見る人のニーズにあってるんでしょうかね」

「本人のニーズには、あうでしょう。選挙対策にもなるし」

石丸は眉《まゆ》をひそめた。

「選挙民の侮蔑《ぶべつ》を受けませんか？」

「そんな心配はいりませんよ。とんでもない田舎なんです。みんな同じ物着てるような」

「同じ物？」

「農協の一括購入なんですよ。シャツも帽子も長靴も」

石丸は、『大げさな』というように笑った。

「みんな？　いくらなんでも違っていた人もいるでしょう」

汐路は、西英子の兄の西優司を思い出した。彼だけは、いつも他の人とは別の格好をしていた。優司は長い綿のコートにキャラバンシューズを履いていたが、その様子は早瀬の人の密《ひそ》かな嘲笑《ちようしよう》を浴びていた。それは幼かった汐路にもわかるほど露骨なものだった。優司は開業医をしていた父親の希望していた医学部には進まず、別の学部に入ったと聞いている。父親との軋轢《あつれき》に嫌気がさしたのか、それとも単に早瀬を嫌っていたのか、進学後は滅多に帰らなかった。汐路の両親が死ぬ少し前からは一度も帰っていない。彼にとって叔父叔母にあたる汐路の両親の葬式にも連絡がつかず戻ってこなかった。

この年上の従兄《いとこ》のことは殆ど覚えていないが、ふと、石丸に似た雰囲気を持っていたような気がした。

「きちんと自分を持った人は、早瀬を出るんですよ」

石丸は首をかしげながら、再びモニターの上の早瀬町長の顔を見た。

「写真を撮った人は、ずいぶん苦労していますね」

「多少の修整はしているでしょうね」

「どうやって？　元の顔を復元してみたらどうでしょうね」

石丸は、モニター上で上品に笑う紳士の目元口元を指で弾《はじ》いた。

「妙に緊張しているところや不自然なところを元に戻すだけで、結構面白いですよ」

汐路は、『フォトショップ』という、汐路お気に入りの画像処理ソフトを立ち上げた。

町長の顔写真をコピーしてから、写真全体のコントラストと彩度を下げ、不自然な目元口元に手を加えていく。

石丸は汐路の作業を後ろで見ている。一仕事終わったせいか、いつも以上に機嫌が良い。

汐路は、入社以来ずっと教師役を引き受けてくれていた石丸の温かい視線を背中に感じた。

「ひどいなあ。そこまでやりますか」石丸は、モニターに出現した下品な中年男を見つめた。「島さん、案外いじめっ娘《こ》の素質があるんじゃないですか?」

石丸は苦笑いした。

隣のパーテーションの中で電話が鳴り、石丸は戻っていった。

その後、他にもざっと早瀬のページを見てみたが、殆どが何の役にも立たない情報だった。しかし、少しは収穫もあった。汐路の姉の勤めている町立図書館には、無料のインターネット接続サービスコーナーがあった。

八月三十一日

目覚めた汐路は、時計を見て驚いた。

図書館の閉館時間までにあと二時間しかなかった。あわてて、車に飛び乗り、浦和東図書館に向かう。

汐路は、この図書館をよく利用している。午後八時までやっているし、料金は高いが十分な広さの駐車場もある。若い家族連れの利用者が多く、雰囲気も明るかった。さらに気に入っているのは、社会人用に電源付きの一人用の机が置かれていることだ。ノートパソコンのバッテリーを気にすることなくいろいろな作業ができた。しかし、図書館が好きな汐路は、ここばかりでなく、その日の気分でいろいろな図書館を利用する。昔風の図書館の雰囲気を味わいたい時には県立図書館に行くし、落ち着きたい時は浦和中央図書館を利用した。

プロジェクトが暇な時、汐路は図書館で一日過ごす。旧浦和市にある五つの図書館は、車をちょっと走らせて行くには絶好の距離にあった。汐路は、ドライブの後で、分類毎に自分のレベルにあったものを数冊選んで読んでいく。好きなものだけ読んでいると精神のバランスが崩れるような気がして、汐路は、こうした読書方法を律儀にとっていた。

しかし、今日は目的があった。

車が図書館に着いた時には、既に午後七時になっていた。急いで統計資料の書架に向かう。姉の言葉や早瀬警察署のホームページで引っかかっていたことを確認したかった。『犯罪統計資料』という本を見つけた。年度別、都道府県別に各種の犯罪の集計をしたものだった。

汐路は席につくと、関連のありそうなページに付箋《ふせん》をつけ始めた。

たいして作業が進まない内に図書館の閉館を知らせるアナウンスが始まった。あわてて、汐路は図書館備え付けの有料コピー機に向かう。傍らを他の利用者が、満足したような顔、何かを考え込んでいる顔で退館していく。

すぐに汐路以外の利用者は、いなくなった。エプロンをした女性の図書館職員がちらちらと汐路の方を見始めた。

その図書館職員が汐路に注意しようと席を立ったとき、やっとコピーが完了した。

「ごめんなさい」

汐路は、職員の側を通り抜けながら、小さな声であやまった。

アパートについた汐路は、犯罪統計の資料を開いた。データは少し古く、九五年から九七年にかけてのものだった。汐路は電卓を叩《たた》きながら読み進み、自分なりの理解をした。

全国で起こった犯罪総数から計算すると、仮に十万人の都市があった場合、一年間に千四百件の刑法犯罪が発生していることになる。重大な犯罪としては、年一件の殺人事件、二件の強盗事件、一件の強姦事件、一件ちょっとの放火事件、三件程度の粗暴犯罪が起こっている。加えて、十七件の自殺がある。もちろんこれは、警察が事件として認知したものだけなので、強姦事件で泣き寝入りをした場合や、警察が告訴を取り下げさせた場合などは、データには表れない。

汐路はパソコンの電源を入れ、『クラリスワークス』という統合ソフトを立ち上げた。このソフトの中に、ワープロ、表計算、データベース、グラフィックという基本的なソフトが入っている。汐路のクラリスワークスは、かなり前に開発されたものだが、軽快にいろいろな処理をしてくれるので愛用していた。汐路は、その中の表計算の機能を呼び出し、県別、犯罪分類別に発生件数を打ち込んでいく。打ち込まれた数字は、汐路があらかじめ指定したとおりの処理を受けて、表示される。

その計算結果を見て汐路は、ちょっと驚いた。今までなんとなく都会の方が、犯罪の……とりわけ殺人などの凶悪犯罪の発生率は、田舎の数倍高いというイメージを抱いていた。が、実際は違っていた。

もちろん、元になる人口が多いので刑法犯罪の件数は大都会ほど多い。しかし、人口十万人あたりの発生率になると、汐路のイメージとは、随分と違っている。両者に大きな違いはない。特に殺人事件の発生率は、首都圏と田舎に殆《ほとん》ど差がない。東京都で全国平均の十パーセント増し、汐路の住んでいる埼玉や神奈川だと十パーセント下回っている。ちなみに、発生率で東京を上回っているのは、茨城、千葉、大阪、和歌山、徳島、愛媛、高知、福岡、佐賀、長崎、熊本、沖縄。沖縄は、米軍基地の事情を考慮に入れて外すとしても、十一県が東京を上回る。さらに、殺人事件は、他の犯罪に比べて地域による発生率の幅が非常に少ない犯罪だということがわかった。全国平均より三十パーセント以上多い県は、あまりない。大阪、和歌山、高知、愛媛の四県だけだ。

その四県の中で、汐路の故郷の早瀬町がある愛媛だけが特異だった。愛媛だけが刑法犯罪全体の発生率が全国平均をかなり下回る県だった。

……まさか、人口一万人弱の早瀬が県の殺人事件の発生率を押し上げている？……

早瀬は、汐路が計算上造り上げたモデル都市の十分の一以下のサイズだ。もし、姉の言うとおり年に二、三件の殺人事件が起こっているとすれば、全国平均の二十倍から三十倍の殺人事件が毎年起こっていることになる。

『犯罪統計資料』には、各警察署の管轄毎に分けた発生件数の資料がなかったので、そこからは姉の話の信憑性《しんぴょうせい》を確認する方法がない。

汐路は確かめる方法を考えた。

インターネットに接続し、『殺人・早瀬・件数』というキーワードで検索する。

ヒットしなかった。

『殺人・件数』とキーワードを変えてみた。今度は、警察庁を始め、無数にヒットした。

……これじゃ、どこにあるのかわからない……

汐路は、『殺人・早瀬・ただし、猟銃を除いて』という条件で検索した。

二百三十二件ヒットした。その中に、『日本殺人事件一覧』というタイトルのものがある。

汐路はクリックした。ページが表示された。タイトルの下には、膨大なテキストが続いている。

『日時・一月一日　場所・北海道岩見沢市《いわみざわ》　犯人・沢田泰典（三十八）　被害者・沢田康子（三十四）　動機・ささいな口論から　被害者の死因・包丁のめった刺しによる出血死　日時・一月一日　場所・大阪府高槻市《たかつき》　犯人・不明　被害者・三田昭（十八）　動機・不明　被害者の死因・鈍器による頭蓋骨《ずがいこつ》骨折……』

何のために、無償で、このような努力をするのかわからないが、ここ十年間に起こった全国の殺人事件が、日付順に延々と書きつらねられている。今年分をまとめたページで、汐路は、『早瀬』というキーワードを使い検索してみた。さっそく一件ヒットした。

『日時・二月十八日　場所・愛媛県早瀬町　犯人・A子（十三）　被害者・馬場京子（十四）　動機・不明　被害者の死因・銃撃を受け出血死』

もう一度『早瀬』で検索すると、他にも一件見つかった。

昨年分、一昨年分とさかのぼり、十年分を検索した。どの年にも最低一件、多いときは、五件、十年で二十七件の殺人事件があった。全件読んでみたが、汐路の知っている人は誰もいなかった。考えてみれば、八歳までで知り合える人などたかがしれている。

……それにしても多すぎるよ……

明奈の話に誇張は無いことはわかった。しかし、住民一万人を下回る早瀬町で、三十万都市に匹敵する殺人事件が起きている。三十万というのは、愛媛で言うと、第二の都市である新居浜《にいはま》、第三の都市である今治《いまばり》、第四の都市である宇和島《うわじま》の三市の住民数を合計した数を超えている。

その異様な数字の持つ意味と原因を考えたが何も思い浮かばない。汐路は、このページの作成者にメールを送ることにした。

メーラーを立ち上げる。

『突然メールを差し上げます。私、島汐路と申します。

貴ページを拝見させていただきました。

そこで、誠に申し訳ないのですが、教えていただきたいことがあります。

貴ページ作成の元になったデータは、どこに掲載されているデータでしょうか？

愛媛県早瀬町に殺人事件が多いような気がするのですが、気のせいでしょうか？

もし、同町に多いとすれば、なぜなのでしょうか？

あと、大変な量のデータですが、なんのために作成されたのでしょうか？

お忙しいところ、申し訳ありませんが、よろしくご教授ください』

一度だけ読み返して、送信ボタンを押した。

まさかと思ったが二十分ほどで返信が来た。時計を見ると午前四時だった。『日本殺人事件一覧』を作成した人は、こんな時間に起きていた。汐路はメールを開いた。送ったメールの全文が引用された返信だった。

『＞突然メールを差し上げます。私、島汐路と申します。

＞貴ページを拝見させていただきました。

＞そこで、誠に申し訳ないのですが、教えていただきたいことがあります。

＞貴ページ作成の元になったデータは、どこに掲載されているデータでしょうか？

私の知る限りでは、このようにまとまった形では公開されていない。警察庁にはあるのだろうが。

私は、
1・毎日、主要新聞に出ている殺人事件の記事を集計している。

2・1で欠落した事件は、各地方新聞社のホームページで見つける。

3・さらに休暇の時に各地方に出かけ、現地図書館で過去の新聞を調べて、欠落をさらに埋める。

以上の方法をとってデータを作成した。

＞愛媛県早瀬町に殺人事件が多いような気がするのですが、気のせいでしょうか？

気のせいではない。単年度で見れば、人口千人の村で一人殺されると殺人事件の発生率は、全国平均の百倍になるが、早瀬町の現象はそうしたものとは違う。継続性が認められる。

＞もし、同町に多いとすれば、なぜなのでしょうか？

私が知りたい。

一般常識と違って、殺人事件の発生率は、地域による差があまりない。

ただ、国内には早瀬町を含めて五つほど特異的に発生率の高い地域がある。

(逆に特異的に発生率の低い地域もある)

私の調べた限りでは、こうした地域に共通してみられる政治的、歴史的、文化的、経済的共通性はない。また、一つ一つの地域を調べても理性的に納得のいく理由は見つけられない。君が考えても無駄だろう。


趣味。

>あと、大変な量のデータですが、なんのために作成されたのでしょうか?

>お忙しいところ、申し訳ありませんが、よろしくご教授ください

こんな挨拶《あいさつ》は、不要で不快。

以上

追記
以前、早瀬町については、十年間を超えて、さらに過去にさかのぼって調査したことがある。
年によりいくらかのばらつきがあるが、少なくも調査した範囲（西暦千九百四十六年から二千年の五十五年間）では、同一の現象が見られる。第二次世界大戦終結以前の新聞は犯罪報道を控える傾向があり、現在の手法では確認できなかった。しかし、現象の原因が特に敗戦後から発生したとも思われないことから、この現象はそれ以前から続いていると思われるし、原因の排除を行わない限り、今後も続くものと思われる。
以上』

汐路は、メールを何度も読み返した。

突然、カタンと音がして、汐路は震え上がった。足音が隣の世帯の玄関から遠ざかる。どうやら朝刊がドアの郵便受けに入れられた音のようだった。

九月一日

汐路は制作部のフロアに入った。

日はとっくに暮れていたが、駐車場からここまで来る間にじっとりと汗が浮かんで来た。

直接、宇賀神チームのシマに向かった。

「どんな具合ですか?」

汐路は、また徹夜したらしいソフトチーフのパーテーションを覗《のぞ》いた。主だったスタッフが全員揃っている。石丸の姿も見えた。

「CDをコピーしているところ」

デプリケーターの表示ランプが点滅している。この機械は、一気に一ダースのゲーム用CDを焼くことができる。

十二個のスロットについているランプが緑になり、一斉にCDが吐き出された。ソフトチーフは一枚ずつ取り出し、CDの表面に油性のマジックで、『日本語版αバージョン4』と書いていった。スタッフ、汐路、石丸が一枚ずつ受け取る。

「審査までに一時間ほどあります。僕たちは、一つ前のバージョンをさっきまでプレイしていたから最初のバージョンとの変化がわかりにくくなっています。島さんの感想を伺いたいので、ちょっとプレイしてみてください」

石丸は自分のCDをゲーム開発機に入れ、ゲームパッドを汐路に渡した。十人近いスタッフの目が一斉に汐路に注がれた。汐路はスタートボタンを押した。

画面が暗転し、ラスベガスの町が現れた。ずらりと人力飛行機がスタート地点に並んでいる。中央に汐路が操作する人力飛行機がある。

一斉に人力飛行機は発進した。夜のラスベガスの町に八台の人力飛行機が舞い上がる。

人力飛行機は、僅《わず》か十メートルほどの高さで町の大通りを駆け抜ける。その高さだと、ラスベガス名物の自転車に乗った警官が、やれやれと肩をすくめているのが見える。サーチライトで照らされる中、通りに突き出たネオンサインをくぐり、ホテルの窓から撒《ま》かれた紙吹雪を浴び、汐路の操る人力飛行機はライバル機と優雅なデッドヒートを演じる。いつの間にか汐路は、流れるBGMにあわせて体を揺すっていた。

一周一分程度のコースを三周し、一ダースの観客の視線が背中に注がれるのを汐路は感じながらゴールした。残念ながら三位だった。花火こそ上がらなかったが、汐路の人力飛行機のパイロットは表彰台に上がった。

画面が暗転し、ゲームは終了した。

「どうだった？」

遠慮がちにソフトチーフが声をかけてきた。

「信じられない……」

正直な感想だった。三日前にやったゲームとは全く別のゲームかと思うほどの出来だった。『ネオン光の饗宴《きようえん》』とまではいかないが、きちんと夜のラスベガスの華やかさと夜の陰影が出ている。

汐路の素直な驚きの声を聞いて、周りから安堵《あんど》の声があがった。

「劇的に良くなりましたよね」

絵描きサブチーフが呟《つぶや》いた。

「そのかわり、予想通り全体が暗くなってしまいました。それは君の力量と試行錯誤でぎりぎりの線を探ってください」

石丸は彼の肩を軽く叩《たた》いた。

「アルファ審査はパスするでしょうか?」

ソフトチーフは、まだ不安そうだった。

「さあ」石丸は、開発機からCDを抜いた。「偉いさんがどう思うかは……」


AV資料室には、制作部の部長、副部長の他、営業部長と宣伝部長、彼らに指名されたそれぞれの担当者がアルファ審査のために出席していた。中央に座る制作本部長を含め、全員の表情が硬い。ディレクターと絵描きチーフの無理心中という事件から、このゲームには不信感を持っているはずだった。

企画チーフからの簡単なゲームの紹介の後、それぞれがヘッドフォンをつけ、ゲームパッドを握る。七台のテレビモニターにタイトルが表示された。

彼らは、同じコースを黙々と回った。宇賀神チームのスタッフは、プレイする彼らの後ろ姿を不安そうに見つめている。

三十分ほどプレイした営業部長がヘッドフォンを外したのを合図に、全員がゲームパッドを机の上に置いた。

「で、ファイナルでは、何コースあるの」

「八コースと隠れコースが一つです」

隠れコースというのは取扱説明書に表示していないコースで、プレイヤーに見つけさせるために用意してある。最初から九コースというよりも、見つけたという達成感が得られる。

ぱらぱらとゲームの企画書をめくっていた営業の担当者は、営業部長に促されて、書類から目をあげた。

「いいんじゃないですか、これで。春向けとしては」

その言葉に、営業部長と宣伝部長も肯《うなず》いた。前倒しでテレビコマーシャルの交渉を進めていた宣伝の担当者は、ほっとしたように汗を拭《ぬぐ》っている。

「それじゃ、絶対に一月十五日のファイナルは守ってくれよ。クリスマス商戦程じゃないにしても、春休みに間に合わないソフトなんぞ、ただのゴミになるからな」

営業部長と宣伝部長は、自分のシステム手帳のカレンダーページに大きくタイトルを書き込んだ。ソフトチーフは、営業担当者と宣伝担当者にCDを五枚ずつ渡し、受取証をもらう。これでプロジェクトは承認されたことになる。この後、各担当者は、このCDを持って、ゲーム機の製造メーカー、国内の問屋、海外の販売代理店、ゲーム雑誌の編集部を巡ることになる。そこでの反応から、ソフトの製造本数が決まっていく。

制作スタッフは、ほっとしているようだったが、これから先は営業部や宣伝部をはじめとした他の部署が本格的に動き始めるために、スケジュールの遅れなどは許されなくなる。

有名なソフトならともかく、二週間の遅れで利益がなくなり、一カ月の遅れで、開発費すら回収できなくなることはよくあることだった。そのために、営業部長がスケジュールに関してサバをよんでいることは、出席している全員が知っている。実際は、二月十五日が最終期限ということだろう。しかし、営業部長たちは、「絶対に一月十五日に出せよ」と何度もソフトチーフに念を押しながらAV資料室から出ていった。

残った制作部の管理職とスタッフは、一様にほっとため息をついた。部長はスタッフを見渡す。

「それじゃ、明日から三日間、制作スタッフは出社停止にする。ゆっくり休んでいてくれ。次の出社日に、今後の方針とスケジュールの詰めをしよう」

副部長は、なお未練げに「島は、しょうがないとして、石丸。このままディレクターを引き継いでくれんか？」と呟いた。

石丸は、ちょっと困ったような微笑を浮かべ、首を横に振った。

「これ以上アドバイスすることはありませんし、3Dゲームは苦手なんです」

無理心中事件以来すっかり気弱になった副部長は、さらに強要することもなく、本部長以下の管理職と出ていった。

九月二日

汐路はアパートで目覚めた。

今日は宇賀神と木崎の本葬だった。司法解剖や、実家への搬送でここまでになったらしい。副社長と副部長は宇賀神の、本部長と部長は木崎の本葬に出席したはずだ。宇賀神チームのスタッフも二グループに分かれて出席するらしい。本葬は、二人の実家がある博多と仙台で、ほぼ同時刻に行われるため、分かれざるを得なかった。

石丸は木崎の本葬に出席すると聞いていたが、汐路は、どちらにも出席するつもりはなかった。汐路は、両親の死以降、誰の葬式にも出たことはない。葬式は嫌いだった。今日は引っ越しの準備をすることにしていた。

汐路は、アパートの自分の部屋を眺めた。

洗濯機や冷蔵庫は、一人暮らしを始めてから一度も買ったことがない。エアコンやカーテンは、部屋に備え付けられた物をそのまま使っている。炊飯機、トースター、オーディオセット、液晶テレビは、殆《ほとん》ど最小のサイズの物を選んでいた。

衣装を詰め込むと小さめの段ボール箱二個に収まった。あとは一人分の食器、小さな鍋《なべ》とフライパン、簡単な化粧品とドライヤーとかの小物が小型の段ボール箱に二つ。とても捨てることが出来なかった三十冊ほどの書籍が段ボール箱に一つ。残りは明日も使う折りたたみ式のキャンプ用コット、寝袋、洗面用品、着替えだけになった。全部の荷物が汐路の車に載りそうだった。

汐路の軽のスポーツカーは二人乗りだが、助手席のシートは車を購入したときに外して捨ててしまった。このアパートに引っ越してきた時、汐路は、そのスペースに引っ越し荷物を積んで一回で搬入した。軽とはいえ、スポーツカーに段ボールは似合わなかったが、自分の車だけで引っ越しが出来て汐路は満足だった。今回も一回の搬出ですませるつもりだ。

汐路は、何回か部屋と駐車場を往復して自分の車に段ボール箱を積み込んだ。日が落ちてからも気温は下がらず、ひどく汗をかいた。

荷物を積み終えると、そのまま終日営業のコンビニに歩いて行った。

汐路のような不規則な生活を続けていると、コンビニを利用する回数は多くなる。少し高めの販売価格と、ころころ変わる品揃えは気に入らなかったが、汐路には必要な店だった。こうした店が早瀬にあるかどうかは明奈に確認し忘れたのでわからない。

汐路は、コンビニのドアを開けた。業務用エアコンの冷たい風が頬をなでる。汐路は、アルコールや洗剤を含んだティッシュを探した。徹底的に掃除する場合には、とても便利なアイテムだ。幸い見つかったので、夜食用の弁当と日本茶と一緒にレジに置いた。冷えた店内の空気のおかげで体の熱は引いたが、かわりに冷たくなった汗が、べっとりと体にまとわりついた。

汐路は買い物袋を手に持つと店から出た。不快な熱気が再び汐路を襲う。しかし、こんな夏もカナダに行けば二度と味わわなくてすむと思うと少しがまんできた。アパートへ帰る前にもう一度、駐車場の車を確認した。コットと寝袋ぐらいは、ぎりぎりで入りそうだった。

結局、部屋の掃除が終わったのは、東の空が明るくなってからだった。汐路は、ゴミをまとめると集積所に持っていった。スーツ姿の男がゴミ袋を置いていく。手荷物から見ると出張に出かけるようだった。彼のワイシャツは、既に汗で濡《ぬ》れていた。

汐路は部屋に戻り、シャワーを浴びた。

浴室から出た汐路は部屋を見渡し、自分が生活していた痕跡《こんせき》が殆ど残っていないのを確認すると、満足して、そのまま寝袋に潜り込んだ。

九月三日

汐路は、久しぶりに電車で通勤した。その日は、汐路が出社する最後の日だった。一応、九月の末までは社員として有給休暇と代休を消化することになっているが、もう埼玉に戻る予定のない汐路は、今日中に全てのことを済ませておこうと決めていた。

自分の席につくと関係者に退職のメールを打った。その後で、パソコンをフォーマットする。パソコンが勝手にフォーマット作業をしている間に、汐路は部屋の掃除用に買ってきたキッチン用の洗剤でパーテーションの中のものを掃除した。机の上も、引き出しの中も、完全にきれいにした。義務や礼儀というよりも、自分がここに存在していた名残を残したくなかった。

パーテーションの掃除が終わる頃には、パソコンは完全にフォーマットされていた。汐路は、パソコンのカバーを外して、自費で増設しておいたRAM（随時書き込み、読み出しができるメモリー）とハードディスクを抜き、グラフィックボードを元のものに交換した。キーボードとマウスは、自分の手に合う物を買って使っていたので、自分のバックパックに入れた。両方ともとっくに発売中止になっていて、改めて入手することが困難になってきていた。かわりに、しまっておいた標準のキーボードとマウスを接続した。これで、汐路のパソコンは、なんの面白みもない、ごく普通のパソコンに戻った。汐路はOSを再インストール（投入）して、会社から渡された時と寸分変わらない設定にした。電源を落としてから、キッチン用の洗剤でパソコンもきちんと拭《ふ》く。パーテーションの中には、少し下品なレモンの香りが漂った。

汐路は、RAMとハードディスク、グラフィックボードに、百円と書いたポストイットを貼《は》って『売りますコーナー』に置いておいた。

……最初に目にした人が喜んで買って行くね……

汐路は、隣の喫茶コーナーで自分のカップにコーヒーをいれて席に戻った。コーヒーに口をつける前に部長の席に行き、セキュリティカードになっている社員証を返却した。これで、この部屋から出れば、二度と入室できなくなる。制作ビルから出れば、二度と入館できなくなる。この一週間で別人と思われるほど面変わりした部長は、「体にだけは気をつけて」とだけ言って、社員証を受け取った。

汐路がコーヒーを飲みながら、自分の席でぼんやりしていると石丸が声をかけてきた。

「そろそろ送別会ですけど、一緒に行きます？」

汐路は肯《うなず》くと、石丸の後について制作部を出た。後ろでドアが閉まり、自動ロックがかかる音がする。

エレベーターで一階に降りた汐路は、玄関ホールにいる守衛に深く一礼をすると外に出た。会社のロゴマークに向かって、もう一度深く頭をさげる。

「卒業式は終わりましたか？」

石丸は、汐路に声をかけた。制作スタッフは、退社の事を卒業式と言っている。技術や知識を十分に身につけた者がさらに好条件をめざして出て行くには、ちょうどいい言葉だった。

「勉強しきれませんでしたが」

汐路は素直に認めた。

「島さんなら、どこでも絵描き屋としてやっていけますよ」

「ディレクターになるには、まだ力不足ですけど」

石丸は、それには答えずに会社正門前でタクシーを停めた。宇賀神たちの落ちた歩道には、今もいくつかの亀裂《きれつ》が残されたままだった。

タクシーは荒川の川辺についた。ドアが開くと同時に、熱い風が吹き込んできた。

既にアウトドアを趣味にするスタッフが、車で搬入していた調理用具で得体の知れない野外料理を作っていた。後続の部員がタクシーで次々に乗り付ける。

特に誰かの挨拶《あいさつ》もないまま、送別会は自然に始まっていた。めいめいが勝手に料理の材料を持ち寄り、調理し、食べ、酒を飲み、仲間と話している。何台かのラジカセからは、インダストリアルやアニメの懐メロから、最新のドイツのロックまで流れていた。時たま一緒に仕事をしたことのあるスタッフが、汐路の所に来て挨拶する。

「島さんに、みんなからのプレゼントを渡しまーす」

石丸が叫び、勝手気ままに食事をしていたスタッフたちが、初めて一斉に汐路の方を見た。汐路は、石丸から分厚い封筒をもらった。ちらりと中を覗《のぞ》くと、雑多な図書券、商品券の束がざっと五十万円分ほどあった。うけ狙いの度数の切れかかったテレホンカードやオレンジカードも二、三枚入っている。

「ありがとう」と同僚たちに手を振った。拍手が起こり、また、それぞれが勝手に遊びを始める。汐路は、それを見ながら、ずっと同じ所にいられる性格ならよかったのにと思った。

多いときで八十人近くいたスタッフも、午前零時を過ぎると徐々に減っていった。最初にいなくなったのは、プロジェクトが忙しい者。彼らは酒を一口も飲まず、会社に戻っていく。次は、管理職と家庭持ち。終電に間に合うように家に帰っていく。暗闇の中に消えていくカップルもある。

午前三時を過ぎると、忙しくない独身者二十名だけが残った。二、三人のグループを作って、ゲームや映画、小説などのエンターテイメント情報を交換し、批評や意見を交わしている。酔いつぶれた者は、レンタルのキャンピングカーに潜り込んでいく。宇賀神チームのスタッフは、疲れていたのとアルファ審査をパスした安堵《あんど》感からか、最初につぶれていた。石丸チームのスタッフたちも、眠りに対する飢餓感から、宇賀神チームの後に続いた。

朝四時になると、起きているのは汐路と石丸たち四、五人になっていた。キャンピングカーの中では、二坪ほどの空間に男女が寿司詰め状態で眠っている。ガソリン式の発電機が、スタッフを満載したキャンピングカーのクーラーに電気を送り続けていた。河原は、いつの間にか、その発電機の動く音だけになっている。

夜が白み始めたころ、石丸は鉄製のカップを携帯コンロの上に直接置いた。

「何つくっているんですか?」

そばに座った汐路が尋ねた。

「アイリッシュコーヒー」

「ご馳走《ちそう》してください」

「よろこんで……。コーヒー豆は下に沈んでいるだけだから、浮かび上がらないようにそっと飲んでください」

汐路は、カップを受け取ると口をつけた。石丸は微笑みながら、自分の分を作り始めた。

ふと、石丸は足下の草を抜いた。

「これ、食べるとうまいんですよ。埼玉新都心のそばで山菜採りができるとは思わなかったけど」

「石丸さんは、山菜採りなんかするんですか？」

「時たま車を走らせて採りにいくことがありますよ。島さんは、こんなおじさんくさい趣味は嫌かもしれませんが」

汐路は目を閉じた。早瀬での記憶がフラッシュバックした。


……早瀬では、山菜採りに山に入れる日が決まっている。

その初日に、私と、お父さんお母さんが山に入った。

お父さん、お母さんは、百メートルぐらい前を歩いていた。何か深刻そうに話し合っている。不安になった私は、顔見知りだった松原のおじさんの手を握っている。

やがて二人は、森に入っていく。

そして、突然の、お父さんの激しい怒鳴り声とお母さんの悲鳴。
松原のおじさんは、あわてて山道を登る。
私も一瞬すくんだ後、おじさんを追いかける。
松原のおじさんは、山道の脇で、崖《がけ》の下を覗き込んでいる。
不安な気持ちで、そばによる私。
『あれは、君のお父さんとお母さんか？』
私は崖の下を覗こうとする。
『あぶないから腹這《はらば》いになって』
私は、腹這いになって崖の下を覗く。
岩の上にお父さんとお母さん。
『いいかい、これは、事故だ』
松原のおじさんは真っ青な顔で私に言う。
……違う、お母さんは、お父さんの手を握っている。
お父さんがお母さんを突き落としたんだ。
お母さんは、何かに掴《つか》まろうとしてお父さんの手を掴み……
私は、じっとお父さんとお母さんを見ている。
お父さんとお母さんの倒れているあたりに、何かわからないものが広がっていく。
松原のおじさんが崖を降りていって、お父さんとお母さんを仰向《あおむ》けにしている。

私は、崖の上で腹這いになったまま、ずっと見ている……

「どうかしましたか？」

石丸が尋ねた。

「別に何でもありません」

汐路は、頭を振って、浮かんできたイメージを追い払った。

「それより、プロジェクトの最終チェックまでご一緒できずにすみません。ご成功をお祈りしています」

「ありがとう。でも、完成しても、『死の街』を携帯使ってプレイする人が電車の中で刺されなければいいのですが」石丸は、品証の男の言ったことを思い出したようだった。

「どうも犯人は、心の壊れた……いわゆる電波系の人らしいですね。何かプレイヤーを守る対策を考えないと」

「私の父も電波系でしたよ。突然、変になったんです。水の入ったホースを家の外に張り巡らしたり、ビー玉を家の中にばら撒《ま》いたり」

また、イメージが浮かんだ。

……私は、二階の自分の部屋で、ビー玉を見つめている。やっと三十個たまった、とてもお気に入りのビー玉……

突然、荒々しく階段を駆け上がってくる音。襖が勢い良く開く。

そこには、お父さんが立っている。目が真っ赤。恐ろしい顔。

「汐！」

今までに聞いたことがないような怖い声に、私は体をすくませる。

お父さんは私の体を抱えると、階段を駆け下りる。

……お父さん、痛い……

玄関からはだしで飛び出したお父さんは、私を庭に放り出す。お父さんは、何か怒鳴っている。怖くて、何を言っているのかわからない。

お父さんは、そのまま家に戻っていった。

……お母さん！　お姉ちゃん！　早く帰ってきて！……

家の中で何かが壊れる音がする。

震えている私は、縁側からそっと中を覗く。お父さんが、私のビー玉を居間に投げ捨てている。

……私のビー玉……

覗いているのが、お父さんに見つかった。

また、お父さんが怖い声で怒鳴る。

お父さんが、家からホースを持って飛び出してきた。ぶつぶつ言いながらホースの中に水を入れ、そのホースを家にまきつけ始める。

お父さんの口から、泡が出ている……

カップを持つ石丸の手が口元で止まっていた。

「なぜそんなことを？」

「電波が聞こえる人の論理なんて知りません。水の入ったホースが電波を防ぐとでも思ったんじゃないですか？」

汐路は自虐的に答えた。実家を出て以来、誰にも話したことのない話を汐路は喋《しゃべ》っていた。なぜ、こんな事を石丸に話し始めたのか、汐路はわからなかった。

一度、闇の中に消えたカップルが土手の道をこちらに戻ってきて、汐路に手を振った。

汐路は微笑みながら手を振り返した。

「電波系のホームページは、時々覗きますけど、あまりそういうのは聞きませんが」石丸は、呟《つぶや》いた。「お父上のご職業は？」

「大工です。名家の者は、普通、大工にはならないんです。雇われ仕事はするもんじゃないって言って」

「僕らサラリーマンから言わせてもらうとひどい話ですね」

「サラリーマンは、いいんです。個人契約で誰かに雇われるような職業を嫌がるんです。母も他の名家の出だったので、父の職業を嫌がっていました。最後のあたりは、自分の姉の嫁ぎ先の修理に出向いてましたから特に険悪でした。それが引き金になったのかも知れません」

「よくわからない考え方だな」

「私も変だと思いますが、田舎の一部では、いまだにそうなんです。石丸さんは、木崎さんの事で、『こんなになる前になぜ逃げなかったんだ』って言ってましたよね」

「あ……」

石丸は、思い当たったようだった。ひどくばつが悪そうな表情をした。

「ただ、うちの田舎では、逃げるという選択肢を思いつかなかったんでしょうね。プロジェクトでも同じです。そこから逃げられないんでしょう」

石丸は、うなだれた。

「すみません。どうも僕は、考えのないことをたくさん言っているようです」

「いえ、石丸さんの言うとおりなんです。私もあんなになる前に、どうして母が逃げなかったのか、なぜ父が家から逃げ出してくれなかったのかと思っていますから……。あれは、私の言葉でもあるんです。それより石丸さんには関係ないことで不機嫌にあたったことがあって、すみませんでした」

石丸は首を振った。

「僕は、もう一つ、あやまらないと……」石丸は、自分用に作ったアイリッシュコーヒーのカップを見つめていた。「島さんが入社試験でネットワ・テックに提出した課題を覚えていますか？」

汐路は肯《うなず》いた。

通常、ゲーム会社に入社を希望する者は、面接の前に自分の創った作品の提出を求められる。音屋ならばデモテープ、ソフト屋ならばプログラム、企画屋ならばゲームの原案書。汐路のような絵描き屋の場合には大学の卒業制作の作品を提出することが多い。

「私はデッサン帳を持って行きましたね。五十キロもある卒業制作の彫像なんか持ち込めませんから」

汐路は、デッサンに関しては自信があったし、教授陣からもそれなりの評価は受けていた。

石丸はため息をついた。

「あのデッサン帳を絵描き屋出身の五人のディレクターが審査したのですが、評価が真っ二つに割れました。……と、言うより、僕以外の全員が島さんの採用に賛成、僕は、この絵を描いた人はエンターテイメントに向いていないと反対しました」

「どのあたりが良くなかったのですか？」

石丸は少し口ごもった。

「あの絵は、人の表情の歪《ゆが》んだ部分をとらえていました。多分、島さんは意識していないでしょうが」石丸は、自分のカップから目を上げない。「人の表情の変化には自然な流れがあり、僕たちは、その流れを無意識のうちに予測してますが、時にその予測を裏切るような歪みを見て、うろたえることがあります。島さんは、そうした瞬間に強く影響されているように思えました。エンターテイメントに必要なのは、その針のような感性ではなく、表情の流れ全体を見ることができる理解力、把握力だと……」

石丸に言われて、そうかもしれないと汐路は思った。

「私は、エンターテイメントに向いていない？」

石丸は、首を横に振った。

「それは大義名分だったと思います。僕は、そうした目を持つ島さんと一緒に仕事をするのが恐かったのではないかと、今は自分を疑っています。……仲間に対して不正義でした」

汐路は、くすりと笑った。

「その時は、まだ仲間じゃなかったですよ。それに、私にとっては身に余る、嬉《うれ》しい評価でした」

汐路は、カップを石丸に返した。

石丸は、うつろな表情で、それを受け取る。

「オーストラリアに行っている絵描き屋さんにもよろしく伝えてください」

石丸は、肯いた。

「それじゃ、みんなにもよろしく」

というと、汐路は立ち上がった。まだ眠らずに何かを話し込んでいた部員も軽く頭を下げた。

汐路は、動き始めた川越線の駅舎に向かって、土手を歩いた。

九月四日

汐路は、最後に一度だけ部屋を振り返るとアパートのドアに鍵《かぎ》をかけた。廊下に置いておいた最後の荷物を車に積み込み、大家の指示通り鍵を郵便受けに入れる。

汐路はカプチーノの運転席に座った。

埼玉県から早瀬まで、千百キロ。途中、大阪あたりで仮眠をとって、翌、昼前には、早瀬につくはずだった。

「つっぱしれば、朝には早瀬につくけど」

汐路は呟いた。

汐路は、キーをまわす。プログレッシブロックのサウンドが流れ始めた。キャメルの『ムーンマッドネス』だった。

「今、これ聴いたら落ち込むね」

汐路は、EL&Pの「タルカス」に入れ替えた。

このイギリスのグループは、汐路が生まれた時には活躍していた。キーボードのキース・エマーソンが高い評価を受けている。しかし、汐路は、パーカッションのカール・パーマが好きだった。彼の演奏は、心地よい。それに対して、キースの演奏は、ところどころひっかかる。もちろん彼の演奏が粗いとか稚拙《ちせつ》とかではない。ただ、汐路がこうあって欲しいと願う演奏の流れから、彼はしばしばはみ出る。何度聴いても違和感が残る。最初は、彼の使っている初期型シンセサイザーのせいかと思っていたが、ピアノの演奏でも変わらなかった。

あまりそうした感想を聞かないので、ひょっとすると汐路だけが感じていることなのかもしれない。

……石丸さんなら、キースの演奏をどう聴くかな……

多分、もう石丸と会うことはない。別れた友人とメールや電話のやりとりをするような習慣も、汐路にはなかった。

……なぜ彼の演奏にひっかかるのか、石丸さんに聞いておけばよかった……

汐路は、「タルカス」から順番に、現在にいたるまでの曲を年代順にかけていこうと思った。汐路が持っているアルバムを通して聴くのは初めてだった。

名古屋を過ぎたあたりから、ＥＬ＆Ｐの長い停滞期の曲に入った。疲労も重なって聴くのが苦痛になってくる。三時間毎に入るサービスエリアでの休息時間が少し長くなってきた。

……通しで聴ける機会なんて、もうないかも……

逆に音量を上げた。

汐路のカプチーノは、瀬戸大橋を渡り、四国に入った。

夜の高速では風景はわからない。ただ、山と思われる漆黒の空間の隙間を、軽のスポーツカーは、駆け抜けていった。最後のアルバムを聴き終わってから、オーディオは沈黙している。エンジン音と路面のギャップを拾う音だけが、微《かす》かに響いていた。

眠たくなったら仮眠をとろうと思っていたが、昼夜逆転した生活になれた汐路は、サービスエリアでは缶コーヒーを飲むだけで再スタートした。そのため、予定より早く、東の空が明るくなり始めた頃に早瀬インターに到着した。汐路は減速して四国山脈の中腹を走っている高速道路から降りた。

目の前に早瀬の全景があった。

第二部

九月五日

汐路は、インター出口の路肩に車を停めた。

朝霧が車を降りた汐路の傍らをゆっくりと流れていく。

道路脇の自動販売機で缶コーヒーを買うと、そばのベンチに座った。

汐路が早瀬を離れた時には高速道路ができていなかったために、この場所から早瀬を見るのは初めてだった。

早瀬は、周囲を山に囲まれ、北側だけが瀬戸内海に向かって開けている。なだらかに海に向かう傾斜に、いくつかの集落が点在している。斜面の至る所には、江戸時代から続く森が、ゆっくりおりる朝霧の中で、黒く、島のように見えた。汐路の家……近江敬次郎の建てた島屋敷……は、その島の一つに隣接しているはずだったが、汐路が座っている場所からは見えなかった。朝霧は田園地帯を隠し、町の中心あたりで消えていく。

夜明け前の早瀬町はまだ眠っていた。唯一、町の中心部を東西に走る国道十一号線を走るトラックのヘッドライトだけが、微《かす》かに動いていた。国道の向こうは、すぐに海だった。海辺には、かつては大阪、岡山行きの小型フェリーが接岸していた古い埠頭《ふとう》があるが、瀬戸内海に三本の連絡橋ができた今では、停泊しているのは漁船ばかりだ。

汐路は飲み終えた缶をゴミ箱に投げ込んだ。静かな朝に、びっくりするほど大きな音が響いた。

車に向かう。

車の向こうには、今降りたばかりの高速道路があり、その背後には深い森があった。

……お父さんがお母さんを殺した森……

汐路はドアを開け、いそいで車を発進させた。

一般道を下っていくとすぐにアーチが見えた。『ようこそ、自然と歴史の街、早瀬に』と、書かれている。汐路は、その下をくぐり抜けた。おりる霧と一緒に汐路は、早瀬に入る。

途中、霧だまりと見えたのは沼だということがわかった。汐路の記憶では、この御敷と呼ばれている沼は、巨大なダム湖なみの広さと深さがあったが、今見ると田舎ならどこにでもあるような沼だった。

……幼い頃の印象ってこんなものかもね……

汐路は、沼の脇を通った。すぐに西屋敷と呼ばれている西英子の実家が見えた。この家も敬次郎の作だ。父親が最後に手がけた仕事は、この家の改修だった。汐路は、自分の実家とそっくりな屋敷から目をそらした。

いくつかの富農の家が見えた。埼玉の新興住宅街と違い、早瀬の古い家は高い土塀に囲まれている。中の人々の生活をうかがうことはできない。そうした家が三、四軒ずつ畑の中に建っている。多分、そこに住む人は、遠い近いの差はあれ、血の繋《つな》がりがあるのだろう。

見覚えのある木立が見えてきた。汐路の屋敷の裏庭に植えられた杉の木だった。やがて、前庭に植えられた松や櫟《くぬぎ》の木、高い土塀が順番に姿を見せた。

島汐路は、実家に戻った。

まだ、朝の五時前だ。姉の明奈は、眠っているはずだった。起こすのは気が引けたので、大きな門をくぐる時に、出来る限りエンジンの音を絞った。門の脇の離れに、姉のものと思われる日産のマーチが置いてあった。汐路は、その隣に車をつけると、エンジンを切り、車から降りた。

広い庭の先に近江敬次郎の建てた母屋があった。合わせると六十畳近い畳の間、同じぐらいの広さの板の間、二十畳ほどの土間、そして、入り組み分断された廊下と縁側を内に抱き、家は、そこにあった。圧倒的な存在感だった。日の出前の淡い光の中では、瓦《かわら》と木と漆喰《しっくい》に時間が蝕《むしば》んだ跡は見つけられない。汐路は深いため息をついた。

汐路は、離れの玄関の開く音に振り返った。姉の明奈が、玄関から顔を覗《のぞ》かせていた。

「お帰り……」

「ごめん、起こした？」

久しぶりに会った姉は、微笑んで迎えてくれたが、随分と疲れているように見えた。明奈は、ちらりと荷物が積み込まれている助手席を見た。

「ちょっと手伝ってくれたら五分で降ろせるよ。できれば離れに入れたいんだけど」

離れは、汐路たちの祖父母が生前寝起きしていた場所だった。汐路は、両親の記憶に繋がる母屋には入りたくはなかった。

「私も今は離れに住んでいるんだけど……。母屋は一人で住むには広すぎるし、トイレや風呂《ふろ》が外なのはちょっとね」

汐路は段ボール箱を手にとった。明奈は先に離れに向かい、玄関を開けた。汐路たちは、お互いの近況を話し合いながら、三往復ほどして荷物を全て離れの玄関に運び込んだ。

「残りは、いつ届くの？」

「これだけ」

明奈は、玄関のたたきに置かれた少しばかりの段ボール箱を見た。裏にある二つの蔵なら、この百倍は納めることができる量だった。

明奈は玄関の鍵《かぎ》をかけ、本当に鍵がかかっているか確かめた。

「最近ぶっそうなの？」

「そういう訳じゃないけど……」

明奈は言葉を濁した。

最後に汐路が姉にあったのは、三年前、図書館職員の慰安旅行で明奈が東京に出てきた時だったが、その時に比べて表情が暗い。何か怯《おび》えているように思えた。

汐路は奥の部屋に玄関の荷物を運んだ。部屋は、きちんと掃除されていた。汐路は、キャンプ・コットを組み立て、その上に寝袋を広げた。折り畳み式の棚の中に、オーディオセットと液晶テレビ、書籍を入れる。衣服は、夏の物だけを出した。段ボール箱は捨てようかと思ったが、すぐまた使うかもしれないと思い直して押入に入れた。そこには、真新しい寝具が一組あった。コットと棚とで一畳半ほどしかとらなかったために、六畳の部屋は広く見え、それが汐路を安心させた。

台所で朝食を作っていた明奈が汐路を呼んだ。

汐路は、何年かぶりに、みそ汁に焼き魚という古典的な朝食の並んだテーブルについた。

「今日は、どうするの？」

「一晩車を飛ばしてたから、今から寝る」

汐路は、お新香をくわえた。漬物だけで三種類もあった。

「夜、食事を一緒にしない？」

「『神保《じんぼ》屋』？」

駅前にあるおでんのおいしい食堂だった。

「あそこは、先代が亡くなってつぶれたの」

「息子さんは？　あのフランケンシュタイン」

明奈は、ぷっと吹き出した。

神保屋の一人息子のことは、微かに覚えていた。明奈の同級生で、二、三度うちにも遊びに来たことがある。手と足が大きな少年で、中学生の時には並の大人の身長を抜いていた。

「そんなことを言っては悪いわ」

「ぴったりだと思ったから笑ったんでしょ」

明奈は無理矢理笑いを押し殺した。

「神保君は駅前の店を売って早瀬から出たの。かわりに国道沿いにフィンランド料理店を開いたらしいわ」

「またマイナーな料理」

「そうよね。フィンランドなんて、ムーミンとサンタクロースくらいしか思い浮かばないわ」

「今じゃ、対Windows OSのリナックスと、電子機器のノキアの国。でも、フィンランド料理なんて東京でもそう食べられない。そこにしよう」

明奈は困ったように首を傾げた。

「早瀬の外に店を構えたから、あまり早瀬の人は行かないのだけど……」

汐路は眉《まゆ》をひそめた。

早瀬の住人は、代々の家業を捨てて出ていく人に対して、嫌悪感を抱く。それに比べれば、詐欺や窃盗の罪の方が軽いくらいだ。出て行った人とつきあうことも良くないこととされていた。

「私は、フィンランド料理食べたい」

明奈は、ため息をついた。

「まあ、いいけど、行ったことは、あまりこの町でいいふらさないでね」

「でも、こんな田舎でフィンランド料理店なんてやっていけるの？」

「大阪や岡山からも食べに来る人がいるみたい」

「それは、たいしたものね」

食べには行かないけれど、しっかり噂は広まっている。

明奈はキーホルダーを取り出した。

「これ離れの合い鍵」明奈は真新しい鍵をキーホルダーから外すと汐路に渡した。「出る時は、きちんと戸締まりしてね」

せっかく早起きしたのだから勤務先の町立図書館に出て、たまった仕事を片づけたいという明奈を玄関まで送り、汐路は新しい自分の部屋に戻った。庭からは、明奈の車の音が聞こえる。

汐路は、キャンプ・コットに寝袋を広げると中に潜り込んだ。また、すぐに眠りに落ちた。

同日夕

目が覚めると、夕方になっていた。

時計を見ると十時間以上眠っていたことになる。しばらく寝袋の中で、ぼんやりとしていたが、起きあがって携帯電話を取り出した。今までの早瀬の事件で集めた情報を綴《と》じたファイルから早瀬中学のホームページをプリントしたものを取り出す。掲載されていた電話番号を押した。

『早瀬中です』

「私、島汐路と申しますが、西英子先生はいらっしゃいますか?」

お待ちください、とも言われず、いきなり保留音を聞かされた。

『はい、西ですが』

「汐路です。島の……」

『まあ、久しぶり』

「実は今、早瀬に戻ってきているんです。英子さんにご挨拶《あいさつ》しようと思うんですけど西屋敷に伺っていいですか?」

『えっ、ええ』

戸惑っているような感じだった。あまり仲の良い従姉《いとこ》とは言えなかったし、長い間会ってもいない。他人といってもいい。

『今からなら中学校にいるから、こっちに来れない?』

汐路はほっとした。苦手な従姉と二人きりで会うのは気が重い。英子もそうだろう。

汐路は、「じゃ、三十分後に」と答え、電話を切った。プリント紙をファイルに戻す。

ファイルには、英子に会って聞くことを項目別にまとめたメモもあった。

早瀬中は町の中心部にあった。汐路がまだ早瀬にいた時、木造だった校舎は、新しいコンクリート校舎に建て替えられていた。曲線を多用した外観から、ちょっと目には美術館にも見えた。住み心地はともかく、建設に関わった設計事務所には、誇らしくこの校舎の写真が飾られているだろう。

汐路は駐車場に車を停め、ファイルを手に外に出た。駐車場には、教職員たちの車が停めてあった。フロントグリルの大きいセダンや、角張ったバン、媚《こ》びたようなかわいさの軽自動車が並んでいた。世の中には、汐路の趣味には合わない車があるが、ここは、そうした車の展示会場だった。

「町役場もきっと同じラインアップ」

これに軽トラックが加わると、農協の駐車場だろう。

校舎の中を覗《のぞ》くと、どこの教室にも何台かのパソコンがあり、生徒たちが集まってキーボードを叩《たた》いている。情報教育は、例の町長の方針かもしれない。

「こんにちは。職員室は、どこか教えてくれませんか？」

通りすがりの女子生徒に尋ねると、少女は校舎の奥に向かって顎《あご》をしゃくった。

「情報教育より客への受け答えを教育すべきかな」

汐路は、独り言を言いながら、職員室に向かった。

入り口で中をうかがっていると手を挙げている西英子が見えた。汐路は微笑みを浮かべて近づき、勧められた椅子に腰をおろした。

近くで見る英子には、深い皺《しわ》が刻まれていた。

「早瀬に戻ってきたの？」

「いえ。ただの帰省です。それで、つい懐かしくてお邪魔しました」

英子の背中合わせに座った男性教師が「体育の授業をさぼるな」と、生徒に説教をしている。立たされたままの生徒は線の細そうな子供だが、ふてくされているとも反省しているとも、どちらともとれるような表情を作って聞いている。

こんな風景は、汐路が名古屋で中学生だった時と変わらない。新しく加わったのは教師の机の上に置かれたパソコンくらいだ。英子の机の上にもパソコンが置かれていた。

「最近は、先生の机にもパソコンが置かれているんですね」

「ええ、私はワープロぐらいにしか使わないけど」

そのワープロも使いこなしているかどうかは怪しいと思った。ちらりと目をやったモニターの画面設定は、工場から出荷されたままのものだ。

汐路は当たり障りのない世間話をした。早瀬中の情報がいくつか聞けた。

「それにしても半年前は、大変でしたね」頃合いを見計らって、さりげなく汐路は切り出した。「静かな早瀬であんな事件が起こるなんてびっくりしました」

英子は、周りを見渡し、声を潜めた。

「ええ。やっと今、落ち着いてきたところ」

汐路には残酷なことを聞いているという自覚がある。自然と声が低くなった。

「私、ネットワ・テックという会社に勤めています。そこで無理心中事件があったのですが、加害者は私と同期に入社した女性でした」

既に退職願を出して、今は有給と代休の消化期間であることは言わなかった。

「汐路さんは、官公庁の外郭団体に勤めていると聞いていたけど」

「そこは退職して、ネットワ・テックに転職したんです。ネットワ・テックをご存じですか？」

英子は首を振った。

「身近な人が、あんなことをするなんて……。最近、こんな事件が多いですね」

「若い子のやることは、私にはわからない……」

「どんな子供でした？」

「どんなといっても……。特に目立つという子供ではなかったわ。どちらかというと、他のクラスメートとは、あまりつきあいのない生徒たちだったわね」

英子の顔に、ひどく暗い陰がさした。

ちらりと手にしたファイルを開いた。質問したいと思っていた項目はいくつも残っていたが、英子の顔を見ると、これ以上聞くことはできなかった。そろそろ部活の指導があるからという英子の言葉にあっさりと席を立った。

「しばらく早瀬で休暇を送ります。遊びにきてください。これ私の電子メールのアドレスと携帯の番号です」

汐路はメモを英子に渡した。英子は、それにセロテープを貼って、自分のモニターの隅に付けた。モニターには、多分英子のものと思われるパスワードや他人のメールアドレスがいくつも貼り付けてあった。汐路は従姉のセキュリティの甘さにため息をついた。

後ろの席の体育教師が、「これからは、さぼるなよ。もう帰っていいぞ」と生徒を下がらせている。

外に出るとあたりは暗くなっていた。汐路は、そのまま車で早瀬町立図書館に向かった。

図書館は畑の真ん中に建っていた。

図書館の敷地内には広い駐車場があったが、どこにも料金の表示はない。汐路のよく行った公営図書館の駐車場に停めるのには、三十分二百円もかかった。

まだ汐路が早瀬にいた頃、ここは町役場だった。役場は別の場所に移転し、残った三階建ての建物は改装され町立図書館として使われている。入り口の案内図によると、一階の市民窓口の部分が開架図書、二、三階が会議室やカルチャースクールの教室、地下が閉架図書にあてられているようだ。特に建物は老朽化しているわけでもないが、もともと図書館として建てられたものではないために奇異な感じを与える。それでも少しでも落ち着いた雰囲気をだそうとした職員たちの努力の跡は見えた。

時間帯が悪いのか、殆《ほとん》ど人はいない。姉の明奈が、カウンターの中でパソコンに向かっていた。

「ねえさん」

明奈はモニターから目を上げた。

「ちょっと待っててね。ここ、午後八時までやっているから」

汐路は肯《うなず》くと、カウンターから離れ、ぶらぶらと図書館の中を散策した。

浦和の図書館とは随分と内容が違う。農業関連の書籍の割合が多いのは当然だが、児童書と雑誌のバックナンバーが開架図書の半分近くを占めている。残りの一般書は、出版年度の古い物が多かったが、いわゆるトンデモ本の類《たぐい》はない。あまり早瀬の住人は、図書館にリクエストをしないのかなと汐路は思ったが、一般書の書架には良質の本が並んでいる。汐路は少し、嬉《うれ》しくなった。

姉の座っているカウンターの向かいには、インターネット体験コーナーがあった。数人の中学生がパソコンを操作している。汐路は空いている一台に座ると、中を覗いてみた。ブラウザが入っていた。ブラウザを立ち上げ、フリーメールサービスのサイトを開くと、自分のパスワードを入力した。汐路宛に、いくつかのメールが着信していた。殆どが退職した会社の同僚からだった。早瀬に入ってから使おうと思っていたアドレスもテストがわりに開いてみる。まだ、このアドレスは、西英子しか知らない。着信しているはずはないと思っていたが、一通、知らない者からのメールがあった。

『タイトル名　ミエのこと』

汐路は、一瞬とまどい、……ああ、半年前に早瀬で猟銃を撃った子……と思いついた。早瀬に戻る前に電話で姉に加害者の名前を聞いていた。加害者は上野美恵、被害者は馬場京子という名らしい。

汐路は、本文を開いた。

『ミエも死んでいる。バカじゃなきゃ、山や沼や海をさらいな。ネットワ・テックの時と同じ心中さ』

それだけだった。

「何、この文章……？　子供？」

汐路は、発信者のアドレスを見た。

Guest322@hayasej.ac.jp
早瀬中学から発信されている。

……誰？……

文章の調子から、西英子でないのは確かだった。発信者は、特定されないだろうと思って、堂々と中学のパソコンから発信している。多分、パソコン実習室から、誰でも使えるアドレスで発信したのだろう。

汐路は頭の中で、メールアドレスを英子に渡した状況を再現した。

……西英子の所に行って、発砲事件とネットワ・テックの心中事件の話をした後、メールのアドレスを書いたメモを手渡す……英子は、自分のモニターにそれをテープで貼り付けた。周りで汐路の話を聞けた者は、説教を続けていた体育教師と立ったままの男子生徒。その子は、線が細く、ふてくされた表情をしていた……

「あの子か」

パソコンのモニターを見つめていると、明奈が肩を叩いた。

「何をやってるの」

帰る用意を済ませたのか、手にはバッグを持っている。

「私宛のメールを読んでいたの。公共施設が太っ腹だとお金払わずにいろいろできるね」

汐路は、ブラウザを閉じた。「パソコンの電源は、このままでいい?」

「遅番の人が消してくれるから」

二人はインターネットコーナーを離れた。

図書館を出た汐路は、明奈の車に乗せてもらった。

車は町の商店街を抜けた。一軒の小さなスーパーを除いては、全て昔からある個人商店だ。外装だけは新しくしている店もあったが、周りの雰囲気にとけ込めず、妙にちぐはぐに見えた。人通りはなく、既に店じまいを始めている。

「ずいぶん、早くから閉まるね」

「そう?」

早瀬から出たことのない明奈は、他と比較しようがないようだった。

「神保さんの店も閉まらないの?」

「早瀬の店じゃないから」

車は、国道十一号線に出た。

国道沿いに「宇宙神明新教」という大きな看板を掲げた建物が見えてきた。看板は大きいが、あちこちのペンキが剝《は》げている。事務所か道場か礼拝堂かは知らないが、小さな木造の建物は看板よりもさらに荒廃していた。古くなっているのではなく、この建物の持ち主の精神を感じさせるような荒れ方だった。

「ようこそ早瀬に」

汐路は姉に聞こえないようにこっそりと呟《つぶや》いた。汐路の呟きとは反対に、『またのお越しをお待ちしております・自然と歴史の町・早瀬町』というアーチが見えてきた。こちらは、手入れの行き届いたものだ。アーチの下をくぐると、汐路は軽い深呼吸をした。

「早瀬を出るとなんだかほっとする」

「そう?」

明奈はハンドルを握ったまま不思議そうに答えた。

早瀬を出てからは、国道沿いにいろいろな店が見え始めた。趣味のよさそうなビデオショップもある。引っ越しを繰り返していた汐路は、こうした店の外装を見ただけで、ある程度あたりかはずれかを見分けることができるようになっていた。この店は、あたりだと思った。

「どうして早瀬を出ると店が増えるの？」

「このあたりの人は、先祖代々の土地を売るのに抵抗感がないからかしら」

すぐに木と漆喰《しっくい》でできた美しいレストランが見えてきた。『フィリフィヨンカ』という名前だった。明奈は、その店の駐車場に車を入れる。

汐路は、先に中に入った。厨房《ちゅうぼう》とテーブルがカウンターで分けられている簡素なつくりの店だった。

「いらっしゃいませ。おひとりですか？」

カウンターからコック姿の神保明広《あきひろ》が出てきた。汐路は底の厚いトレッキングシューズを履いていたが、彼の胸にも届かない。汐路が子供の頃に会っていた神保は、それでもまだ少しは少年の柔らかさがあったが、今は、メイクなしにフランケンシュタインの役をやれる。

「予約している島の……」

男の顔が明るくなった。

「汐路ちゃん？　大きくなったなあ」と、容貌《ようぼう》に全く不釣り合いな笑顔を浮かべて、テーブルに案内した。店のテーブルには、半分ほどに客がついていた。

後から明奈が入ってきて、テーブルについた。

「フランケンシュタインに磨きがかかってるね」

汐路は、こっそりと明奈に呟いた。

一度ひっこんだ神保は、メニューを持ってきた。他にウエイトレスがいるわけでもなく一人で何でもやっているようだった。

「なんにしましょうか。といっても一日で出せるのは二コースしかないんです。日替わり定食屋と呼んでください」

神保の言葉に、汐路は好感を抱いた。一人で切り盛りしている店では、何もかも出すという訳にはいかない。質を求めれば、一日に出せる種類は決まってくる。

「この『カリヤランバイスティのコース』というのをお願いします」

神保は、「はい」と巨大な体で肯いた。

「私も同じものを」

明奈は、初めてなのか興味深そうに店を見渡した。汐路も店のインテリアを眺めた。趣味の良いヨーロッパ製の家具が並んでいる。昔はやった物とは違う、本格的なものだった。

「すてきなお店ね。都内でもちょっとこんなのはないけど」

神保が食前酒を持ってきた。

「これは、『ポラール』と言います。ツルコケモモを蒸留したリキュールです」

神保は自分の小指ほどの小さなグラスをテーブルの上に置いた。

「すてきな家具ですね。フィンランド料理というから北欧の家具かと思ったけど、これはドイツ製？」

汐路の言葉にフランケンシュタインはニッコリと笑った。

「さすがに大工の娘さん……」といった後で、あわてて「東京でデザイナーをしているだけのことはありますね」と付け加えてカウンターに戻っていった。

明奈はグラスをとった。

「ともかく、お帰りなさい」

「すぐカナダにいくけどね」

汐路も自分の親指くらいの大きさのグラスに口をつけた。香りは強かったが、甘酸っぱい飲み物だった。

初めて飲んだ酒の感想をいいあっていると神保は、スープを持ってきた。

「夏にフィンランドの人がよく飲むスープです」

牛乳で煮込んでいたが、長く野菜を煮たためか微かに酸味がして、思ったよりあっさりした味のスープだった。

「フィンランド料理ってシンプルだけど、おいしいのね」

明奈は、微笑みながら味わっていたが、ふと窓の外に視線をやると笑顔が凍り付いた。ドアが開き肥満した小男が入ってきた。男は、まるで、待ち合わせをしていた恋人のように汐路たちのテーブルについた。

「やあ。ここは俺のおごりにしてくれるかな」

明奈がすがるように汐路とカウンターの中の神保を交互に見た。明奈にとって明らかに招かざる客のようだった。汐路は闖入者《ちんにゅうしゃ》を睨《にら》み付けた。

「すみません。今日は姉と水入らずなんです」

「いいだろ。俺も汐路ちゃんとは是非話をしたかったし」

うつむいた明奈が小さく首を横に振った。神保が静かにカウンターから出て来た。

「こちらは二名様でご予約を承っております」

神保は、丁重に男に言った。肥満した男は眉《まゆ》をひそめた。

「汐路ちゃん。じゃあ、今日は遠慮してくれるかな。明奈と大事な話があるんだ。うめ合わせはするから」

神保が、さらに一歩前に出た。

「松原君。こちらは島明奈様、汐路様のお名前でご予約いただいたテーブルです」

松原と呼ばれた男の顔が怒りで膨張しているのが薄暗い照明の下でもはっきりわかった。

椅子に座ったまま、神保をねめあげた。

「俺は客だぞ。落ち者がえらそうに言うな」

……落ち者……

久しぶりに聞いた言葉だった。落ち者とは、先祖伝来の田畑を手放した者や、家業を放棄せざるを得なかった者に対してのあざけりの言葉だ。汐路にとってはお笑いぐさだが、早瀬では、どんな差別的な言葉より意味が重い。そのため、面と向かって放たれることはめったにないが、陰で使用される頻度は、他の言葉よりも多い。幼かった汐路も何度も聞いた。

「私は先祖の墓守じゃないので、自分の好きな場所に好きな店を持ちます」

神保は動ずることもなく静かに答え、汐路は、その言葉に好感をいだいた。

「落ち者」という、早瀬の者なら必ずひるむ言葉が効果を示さなかったことに、松原は、うろたえた。そうなると、素手で熊をひねりかねない体格の神保と肥満した小男では差がありすぎた。松原の目が忙しく動いたが、もう一度、「落ち者が」と呟くと、店から出ていった。

神保は、また穏やかな微笑みを明奈に向けた。

「料理のコースをつづけますか」

「出来れば」

神保は、応《こた》えた汐路にも微笑みかけると厨房に戻っていった。

「誰、あれ？」

汐路は姉に尋ねた。

「松原孝《たかし》……」

微かに記憶にあった。汐路に崖《がけ》から両親を確認させた松原銀次の一人息子だ。一緒に家にもやってきたことがある。孝には汐路の母親がいくらかの金を渡して、庭の掃除などの仕事を与えていた。

「大阪に働きに出ていたんだけど、帰ってきて……。それから、つきあえって何度も…

「……」

明奈は、すっかり動揺していた。

「まるっきりストーカーじゃないの」

「でも、電話とかはかかってこないわ。それに高校の時に何度かデートしたから」

「そんなの関係ないでしょう。警察には？」

「一度、相談したんだけど、痴話喧嘩《げんか》は他でやってくれって」

汐路は舌打ちした。

都市部の警察では問題になっているストーカーも、田舎の警察だとこの程度の認識かもしれない。それに早瀬で数回デートすることは、かなり深い関係があると見られるのだろう。周りから恋人同士というレッテルを貼られるに十分だ。

カウンターに戻っていた神保は、カップを持って戻って来た。

「これは、コースとは別ですが、店からのサービス品です」カップからは、湯気が立っていた。「フィンランドの飲みもので、ピーマと言います。本日の料理の中で、これだけは日本風にアレンジしてありますが」

汐路は飲んでみた。牛乳から作られたもののようだった。温かく、とても甘いものだったが、飲んでいると高ぶった気持ちが抑えられた。多分、明奈のことを思って甘くしたのが神保のアレンジなのだろう。

「あの男何やってるの。ずいぶん、威勢が良さそうだけど」

少し落ち着いてきた汐路は姉に尋ねた。

「高校を出た後、大阪で工務店に勤めていたのだけど、独立に失敗して戻って来たの。借金は、西屋敷が処理したようだけど。帰ってからは、町役場に入って、やり手だという話」

「使用人の後始末とは西屋敷もたいへんね」

「使用人だなんて」明奈は、きつい言葉に眉をひそめた。「そんな言葉使っちゃだめよ」

汐路は、ため息をついた。

「父親がいたよね」

「その日その日に誰かに雇われて生活しているみたいだけど」

「母親は生きているの？」

「いいえ、母親は新興宗教の教祖になって道場に住んでいたんだけど、何年か前に亡くなったわ。今は、信者が跡をついでいるそうだけど」

「まさか、国道沿いのあれ？」

「そう、『宇宙神明新教』とかいうの」

「馬鹿の親は、馬鹿ってやつ？」

「信者も二、三人いるみたいだから、あまりこの町では悪口は言わない方がいいわよ」

「馬鹿を馬鹿といって住みにくくなるような町は出たら」

「でも……。悪いのは息子だけなんだし」

汐路は口をつぐんだ。松原孝の話題などで、せっかくの料理をだいなしにするつもりにならなかった。

それからは、当たり障りのない世間話をして過ごした。神保も料理の皿を持ってくる時に、控えめながら会話に加わった。いろいろな肉を煮込んだシチューも、揚げ物も、素晴らしい味だった。汐路は、パンのかわりに出されている木の葉の形をしたパイは、焼きたてで良い香りがした。汐路は、神保一人が全て切り盛りしていることを思い出し、あらためて神保を見直した。カウンターの向こうでは、神保は外見に似合わぬ優雅な動作で、鍋《なべ》をかき混ぜている。

夜も更けると、何人かいた他の客はいなくなった。

ちょうど汐路たちも木の実入りのケーキでコースを終えた。

「ご自宅まで送りましょう。お客様も、皆様お帰りになられましたし」

神保がコック帽を脱いでカウンターから出てきた。

「大丈夫です。車ですから」

汐路は、そう言ったが、神保は、「では、駐車場まで」とついて来てくれた。

表に出たが、松原が潜んでいるような気配はなかった。駐車場には明奈の車の他に、クーパーバージョンのミニが停めてあった。もうフィリフィヨンカに客がいないことから考えると、この車は神保のものだろう。アメリカ車でも窮屈そうな神保が、この古く小さなイギリス車に乗るところを想像して、汐路は吹き出しそうになった。

神保は、汐路たちが車に乗り込み、発進するまで店の入り口からじっと見送っていた。汐路は図書館の駐車場でカプチーノに移った。

深夜になって、明奈が眠ったのを確認してからノートパソコンの電源を入れた。検索サービスで『松原孝』を調べてみる。これだけで個人情報を拾えることがある。例えば、『島汐路』で調べてみると、美大のホームページに繋《つな》がり、卒業制作展のリストの中に汐路の名を見つけることが出来る。さらに検索すれば前職の会社の組織表やネットワ・テック社のゲームのスタッフロールが出てくる。

『松原孝』を調べてみる。もし、犯罪関係でヒットすれば、こちらの武器になる。山のようにヒットしたが、同姓同名の別人の情報ばかりだった。残念ながら、有効な情報は、得られなかった。

早朝、僅《わず》かに明るくなってから、汐路は離れを出た。松原の家を見学するつもりだった。汐路は車に乗り込んだ。昨夜、明奈に描いてもらった地図をちらりと見て、エンジンをスタートさせた。姉には、汐路が一人で偵察に行くなどとは言っていない。エンジン音を絞って、明奈を起こさないようにひっそりと門を出た。

西屋敷の前を通り、御敷沼の脇を抜けて山道を登っていく。棚田の幅が徐々に狭くなる。稲穂が夏の重い風に揺れていた。松原の家に近づいてからは、ゆっくり車を走らせた。

まだ、眠っているのか家はひっそりとしている。小さな家の玄関脇には、錆《さ》びた自転車と、ビールのプラスティックケースが乱雑に積まれていた。築後、五十年前後の建物だが、一目見て、国道沿いにあった宇宙何とか教の建物を見た時のような嫌な気分になった。

古くなった家は、通常、それなりの味わいのようなものを持つようになる。廃屋ですらかつて住んでいた人を偲《しの》ばせるものがある。しかし、この家には、それがない。汐路は、ただ、住んでいる者の精神の荒廃を感じた。早瀬には、なぜかこうした家がいくつもある。幼かった汐路は、そうした家の前を通るのがひどく恐ろしかった。

「ここに住んでいる奴の内面はわかるな」いびつで無神経な建て増し部分に汐路は眉《まゆ》をひそめた。「ともかく、観察は終わり」

汐路は、偵察を切り上げることにした。それ以上この家を見ていると、汐路の精神に何か嫌なものが感染しそうな気がしたからだ。

下りの道で、農具を手にした人や軽トラックとすれ違った。彼らは、こんなに朝早くから農作業に出るらしい。狭い農道の端に車を寄せる汐路に軽く頭をさげる。汐路もハンドルを握りながら頭をさげた。彼らは汐路の車が珍しいのか、すれ違った後もじっとカプチーノを見つめている。その姿がルームミラーから見えた。

家では、明奈が朝食を用意していた。

「どこに行っていたの？」

汐路はテーブルについて、箸《はし》を手に取った。

「このあたり一周のドライブ。車走らせるの好きだから」

明奈は、それなら図書館まで一緒に走ってくれないかと汐路に頼んだ。昨夜の事が気にかかっているようだった。

「いいよ」

汐路は、良い塩梅《あんばい》に漬かったお新香を口にくわえたまま、あっさり応えた。頼まれなくてもそうするつもりだった。


汐路の心配どおり、町立図書館の駐車場につくと陰から松原が現れた。その姿を見てドアを開けられなくなった明奈の車に、松原は近づく。汐路は、あわてて車から降りた。

「姉に付きまとわないでください。あまりひどいと警察に訴えます」

「恋人同士の問題に警察が出てくるわけないだろ」松原は、せせら笑っている。「俺と明奈の問題だ。なんで妹が出てくるんだ」

「姉があなたをいやがっているからです」

「君は子供だからわからないだろうけど、明奈みたいな女には、俺が必要なんだ」

虫酸《むしず》がはしるような陳腐で自己中心的なセリフだった。

「そういうありがちなセリフは、俳優でも実生活じゃ恥ずかしくて使えないですよ」

汐路は目の端で、出勤してきた図書館の職員たちをとらえていた。彼らは、駐車場の出来事に気がついていない。あと数歩で図書館に入っていってしまう。

「特に失敗して田舎に逃げ帰った三流品の男が言うセリフじゃないよね」

松原の顔が赤黒く膨らんだ。松原は汐路の肩を摑《つか》んだ。汐路は思いっきり息を吸ってから「助けて」と叫んだ。気づいた数人の図書館の職員が駆けよって来る。

職員と顔を合わせた松原は、逃げだした。

「大丈夫ですか」

「ええ。いきなり松原孝が摑みかかってきて……」

汐路はフルネームで犯人の名前を言い、肩を震わせて見せた。

「ひどいな」

眼鏡をかけた実直そうな男が眉をひそめた。

「もしもの時は警察で証言してもらえますか」

全員が承諾してくれた。汐路と明奈は、職員に守られるように図書館に入った。

汐路は、職員に聞こえないように明奈に呟《つぶや》いた。

「最後のセリフは警察にはないしょにしてね」

「でも、松原が汐ちゃんに挑発されたと言ったらどうするの」

「私はかわいく怯《おび》えたそぶりで、『そんなこと言ってません』って言うの」

「かわいいのは嫌いじゃなかった?」

「目的ならね。手段としてならいくらでも使うよ」

「でも、仕返しに来たらどうしよう」

明奈は不安そうに呟いた。

「その時は、警察でも弁護士でも裁判所でも使って、三倍にしてかえすの。何度でも三倍にして返すの。そうしないと、ずるずると負けつづけるの」汐路は言葉をきった。「それともあいつの言いなりに恋人にでもなる？」

明奈はぞっとしたように首を横に振った。

「こうなったら、どっちが先にあきらめるかの戦争でしょ。私は戦争大好き」

汐路は明奈を安心させるために、にこりと笑った。

姉を職員たちに託すと、汐路は駐車場に戻り、ドアを開けた。初老の職員が心配して図書館の事務室からじっと汐路を目で追っているのに気がついていた。この様子だと、姉が図書館にいる間は、大丈夫そうだった。

車のシートに座った。朝の光がまぶしい。また眠気が襲ってきた。

「まるっきり『死の街』の吸血鬼の生活じゃない」

呟いてキーを回した。

九月六日

夕方になって、やっと寝袋から起き出せた汐路は、車を早瀬中学に走らせ、正門脇に駐車した。

西英子の話によると、早瀬中学は全校生徒に部活を義務づけているようだった。汐路に変なメールを送ってきたと思われる少年も、何かの部に入っているのだろう。そろそろ部活の終わる時間だった。生徒たちが下校し始めた。汐路は、その列をじっと見つめていた。

あの少年は現れない。

「体育をさぼるな」と教師から叱責《しっせき》を受けていたことから考えて、早く帰れる部活動を選んでいるのかと思ったが、そうでもないらしい。

ポットに入れたコーヒーを飲みながら待った。

あたりは徐々に暗くなり、顔の判別が困難になり始めた。汐路があきらめようとした時に、あの少年が出て来た。身長は汐路より高いようだった。汐路は、しばらく車で後をつけ、周囲に他の生徒がいないことを確認してから車を少年の側に停めた。

「こんにちは。メールありがとう」

少年は狼狽《ろうばい》している。

「僕は……」

最初の動揺から立ち直った少年は、ふてくされた表情でごまかそうとしていた。しかし、態度に似合わず、この少年はしぶとさに欠けていると汐路は感じていた。

「早く車に乗って」

汐路は勢いで押しきった。少年は一瞬黙った。目が忙しく動く。

「早く。お互いに話があるでしょ？」

いらいらとハンドルを指で弾《はじ》く汐路の演技にせかされて、少年は助手席のドアを開けた。

「シートがない……」

「しゃがみなさい」

少年は、窮屈そうに助手席のシートがあった部分に座り込んだ。

「なんであんたが……」

中腰という情けない格好を強いられているのに、まだ、ふてぶてしい態度を捨てていない。

「わかっているから自分で車に乗ったんでしょ。今、一所懸命にいい逃れを考えていると思うけど、そんなことにつきあっている時間はないの。私が知りたいのは、三つ。一つ、あなたの名前と二人の少女との関係。一つ、上野美恵が死んでいるとあなたが判断した理由。一つ、それを私に知らせてきた理由」

早口で質問された少年は、混乱したようだった。ごまかす方にまで頭が回らなくなっているはずだった。

汐路は、じっと少年の顔を見た。

「わかった。ゆっくり質問しましょう。君の名前は？　私は島汐路というのだけど」

「知ってる。島屋敷の人。僕は村上祥一郎《しょういちろう》」

「そのようね。胸の名札にそう書いてある。で、祥一郎君と上野さん、馬場さんとの関係は？」

「どっちも幼稚園から一緒だった。中学では別のクラスだったけど」

「なぜ、上野美恵さんは死んでいるって書いてきたの？」

「なんとなく……」

「まさか、あてずっぽう？」

汐路は、祥一郎に聞こえるように舌打ちした。

「違う。うまく言えないけど、上野のやつ、気が弱いから」

「事件の後で、自殺していると思ったわけ？」

祥一郎は肯《うなず》いた。

「だから、海とか池とかさらってやれよ。ほっとくのかわいそうだろ」

「警察にそのことは？」

祥一郎は首を横に振った。

「なぜ、私にメールを出したの？」

「職員室で西と話していた時、ファイルを開いただろ。その中に上野と馬場の名前が出てた」

汐路は、ため息をついた。英子に見えないようにしていたつもりだったが、英子とのやりとりに意識を集中していたので、後ろに立っていた少年にまで気が回らなかった。

「興味を持ってくれそうな人にはメール送ってるんだ」

「興味はあるよ。この前、ネットワ・テック社で無理心中があって、同僚が死んだの。それで、こっちの事件のことも知りたくなってきた……。上野さん、馬場さんがネットワ・テック社の関係者と接触していた形跡はない？　もしくは、早瀬の人でネットワ・テック社の人とつきあっていた人でもいいけど」

祥一郎は、また首を振った。

汐路はいらいらとハンドルを指で弾いた。今度のは演技ではなかった。

「事件の前後に何か変わった事は？」

「さあ、中学二年になってからはあまり話さなくなった」

汐路は、イグニッションキーをまわした。どうやら完全に無駄な努力だったようだ。

「家まで送ってあげる。どこ？」

汐路は車を急発進させた。頭をシートのあったあたりにぶつけた祥一郎は、やっと「新町」とだけ答えた。新町は早瀬町の商店街だ。汐路はハンドルをきった。黙って運転する。沈黙に耐えられなくなったのか、祥一郎は、「でも、中学一年までは一緒に遊んでいたんだ。二人にパソコン教えたのも僕だし」と汐路に話しかけた。

「パソコン？」

「俺の親父が、パソコン買ったんだ。これからの商売には、パソコンが必要だって。それで、京子や美恵の親父さんたちもつられて」

「三人は近所に住んでいたの？」

「みんな新町だよ。うちは不動産屋、京子の家が米屋、美恵の家が魚屋だったんだけど、今は閉めちゃってる」

商店街の記憶をたぐった。思い当たる店があった。

「だけど、親父たちは結局パソコン使えなくて、三人とも勉強に使えってパソコンもらったんだ」

「それで、君が教えた？」

「うん」

誇らしげに胸を張ったが、カーブを曲がった時にまた頭をぶつけていた。

「彼女たちは、パソコンを使っていたの？」

「僕が二人のためにホームページを作ったんだ。それと、電子メールで交換日記みたいなことしてたみたいだ」

「そのホームページのファイル残ってる？」

祥一郎は肯いた。

「君の部屋に行こう」

汐路はアクセルを踏みこんだ。

祥一郎の部屋は、裏庭に建てられた六畳ほどのプレハブの離れだった。母屋から電気と電話のケーブルがのびている。汐路たちは、母屋に住む家族に会うこともなく離れの前に立った。祥一郎がポケットから出した鍵《かぎ》でドアを開けた。

汐路は遠慮なく中に入った。

「すてきな勉強部屋ね」

中学生らしい雑多な物で占領された部屋だった。映画の『マトリックス』や『Xメン』のポスターが貼ってある。

「パソコン立ち上げて」

祥一郎はスイッチを押した。自動的にインターネットブラウザが立ち上がった。

「接続して」

祥一郎は、キーボードを叩《たた》いて、パスワードを入れた。汐路は祥一郎からマウスを奪うと、『お気に入り』を開いた。いつも覗《のぞ》いているページがばれると思った祥一郎は、「あっ」と言ったが、汐路は、かまわずに中を覗いた。

「一般的なエッチサイトと比較的穏やかな地下系サイトか。このサイトは知らないな」

汐路は、祥一郎が登録したサイトの一つをクリックした。ヌードのアニメキャラが笑っているホームページが出てきた。祥一郎は、顔を真っ赤にしてうつむいた。

「中学生が覗きそうなサイトだから、別に何とも思わないよ。でも、ご両親は、こういうの見ていて何もいわない？」

「親父も……父も母もパソコンは詳しくないですから」

いつの間にか祥一郎は汐路に丁寧語を使い始めていた。

「なるほどね」

汐路は、ため息をついた。最近の親たちは、将来のためになると思って子供にパソコンを買い与える。通信に未接続の場合には、それほど問題は起こらないが、接続されていると話は別だ。親たちは、自分が乗れない車を無免許の中学生に与えるのと同じくらい危険な行為をしているのを知らない。売買のサイトで詐欺にあって小遣いを巻き上げられたり、親のクレジットカードを使ってインターネットで物を買いまくるなどというのは、かわいい方だ。女子中学生がオフ会というネットで知り合った者同士の交流会に行ってみたら男だけで、彼らからひどい性的暴行を受けた例など挙げていけばきりがない。女性を装っていた犯人たちは、フリーメールと使い捨ての携帯電話を使っている場合が多く、捕まえるのは困難だった。犯人が捕まらない事件は、よほどの重大事件でなければ報道されない。

被害者になるだけでなく、インターネットでは、犯罪のテクニックの紹介といった情報を簡単に手に入れることが出来る。成人でも未熟で自立していない場合は、深刻な影響を受けることがある。そこに中学生を行くがままにさせている親たちに対して、汐路は疑問を持っている。しかし、それも無理のない話だった。マスコミは、わかりやすい暴力的なゲームの危険性は過剰なほどに訴えるが、インターネットに関しては、その危険性の認識があまりに薄く、パソコンにコンプレックスを感じている親に対して十分な警告を発していない。

「私が親なら、監視できる居間でパソコンに触らせるだけにするけどね。家庭内ＬＡＮ

（家庭内のパソコン同士を繋《つな》ぐネットワーク）の管理者になれとまでは言わないけど」

「僕の両親にそんなこと言うつもりですか」

うらめしそうに祥一郎は汐路を見た。

「まさか。いったん子供部屋にパソコンが入ってしまったら、おしまいよ。居間でやれと言っても聞かないでしょ。テレビ、ゲーム機、電話の子機に携帯電話……。『他の友達はみんな持ってる、持ってないと友達ができない』という言葉、あんたも使ったでしょ」

汐路は周りを見渡した。その全てがこの離れにはあった。

「パソコンでエッチなのは見ることあるけど、危ないものには近寄ってないです」

祥一郎は抵抗した。

汐路はモニターに出ている『リラックスするために』と書かれた祥一郎の『お気に入り』の一つを指で弾《はじ》いた。

「こいつは、結構有名な新興カルト宗教が運営しているって知っていた？」

「普通のサイトですよ。勧誘とかないし、主宰者はフランスの精神医学界の正式会員だって書いてたし、そこにリンク張っているし」

「最初から勧誘する馬鹿はいないよ。それにリンク先のフランスの精神医学界のページを呼び出して確認した？」

「そんな……フランス語読めないし……」

「大抵の人は読めないわね。だから確認しなくてもかまわない？　相手の言うこと信じる？」

祥一郎は黙り込んだ。汐路はマウスを祥一郎に返した。

「まあいいよ。本命の仕事をしよう。君が彼女たちのために作ったホームページのファイルを開いて」

祥一郎はファイルを開いた。『Mie と Kyoko のインテリア・デザイン』というページが現れた。

「一応、一ヵ月毎に更新していたんです。全部、保存してあります」

電話が鳴った。祥一郎が出る。

「うちから……。夕飯だって」

「どうぞ行って来て。私は見ているから」

祥一郎はつったったまま、もじもじしている。

「大丈夫。あなたのプライバシーの部分なんか覗かないから」

祥一郎は、まだ疑わしそうに汐路の顔を見た。

「中学生のプライバシーなんて、どれも似たり寄ったりよ。そんなもの探る時間はないの。ほら、ご両親が呼んでるわよ」

祥一郎は、しぶしぶ席を譲り勉強部屋から出ていった。

「さてと」

モニターには、祥一郎が二人のために作ったホームページがある。日付から考えて一番最初に公開したものらしかった。『MieとKyokoのインテリア・デザイン』とタイトルがついている。背景もフォントもボタンも少女趣味なもので統一していた。トップページには、まだ幼い部分の残る少女が二人、微笑んでいる。メニューには、「作品集」「Kyokoのプロフィール」「Mie のプロフィール」「リンク」とある。
汐路は、「Mie のプロフィール」をクリックした。
『Mie Ueno
年齢　十三でーす
趣味　インテリアデザインでーす
将来の夢　インテリアデザイナーでーす
好きな人　ウラニャンのファンでーす
行きたいところ　ニューヨークでーす
住んでる所　愛媛県早瀬町新町2の1（田舎でーす。しくしく）
Eメールアドレスと電話番号　mie@……』
汐路は、うなった。こうまで自分の個人情報を公開しているとは思わなかった。『私は無防備です。詐欺にかけてください、匿名の嫌がらせメールと無言電話をお待ちしております』と言っているのと同じだ。
汐路は、「Kyokoのプロフィール」をクリックした。
『Kyoko Baba

年齢　十三でーす
趣味　インテリアデザインでーす
将来の夢　インテリアデザイナーでーす
好きな人　ウラニャンのファンでーす
行きたいところ　ニューヨークでーす
住んでる所　愛媛県早瀬町新町2の1【田舎でーす。しくしく】
Eメールアドレスと電話番号　Kyoko@……』
上野のものをそのままコピーしたようなプロフィールだった。というよりも、コピーしたのは上野の方のような気がした。
トップページに戻った。「作品集」をクリックする。二十年前の少女マンガに出てくるようなインテリアの絵が並んでいた。彼女たちのお気に入りは、最近日本の建て売り住宅やアパートで増殖してきた『ロフト』らしい。
汐路はリンクのページを開いた。身の程を知らないというか、デザイン関係の有名どころがいくつかリンク先に設定されていた。
汐路は間をとばして、最後のあたりで更新したホームページのファイルを開いた。
構成は殆《ほとん》ど変わらない。「作品集」「Kyokoのプロフィール」「Mieのプロフィール」「リンク」だが、「ゲストからのおたより」が増えている。汐路は、「作品集」を開いた。
古い作品は、削除され、新しいものが載っている。

汐路は、驚いた。

最初のホームページを作ってから半年ぐらいの間に、信じられないほど作品のレベルが向上していた。六〇年代ニューヨークのロフト誕生の過程は当然だが、日本の茶室の成立や、モダニズムからの建築様式の移行も彼女たちがおおよそ把握したことが一目でわかる。

……子供は怖いね……

汐路は彼女たちへの評価を改めた。

……この調子で磨いていたら……

そう思うと、その後の彼女たちの行為が痛ましかった。彼女たちを死者と行方不明者にした理由をあらためて知りたくなった。「Kyoko のプロフィール」「Mie のプロフィール」を開いてみた。住所等のプライバシーに関わる具体的な情報は、削除してある。

……痛い目にあった？……

普通、プライバシー情報を知った第三者からの嫌がらせを受けると、二度と情報を発信しなくなったり、加害者に変身したりすることがあるが、彼女たちは作品を発信し続けていた。彼女たちの成長ぶりから考えて、ネットで誰か優秀な指導者に出会ったのかもしれない。

汐路は「ゲストからのおたより」をクリックした。彼女たちへの励ましのお便りが載っている。祥一郎の作ったホームページには、リアルタイムで誰でも書き込める掲示板の機能はない。多分、電子メールで彼女たちが受け取ったものを載せたのだろう。

汐路は初期のものから順番に読んでいった。

『いつも Kyoko さんたちの作品みています
がんばってください
こーちゃん』

『がんばりまーす Kyoko & Mie』

『あこがれのロフトを手に入れました
おにいちゃんと喧嘩《けんか》して勝ちました
サイズは、たったの二畳
この中のインテリアのデザインをお願いします
りょうこ』

『初めての仕事の依頼！ うれしー！
二人でがんばります Mie
持っている家具の写真とサイズを教えてね Kyoko』

微笑ましい会話が続いていた。彼女たちの行動の軌跡をたどっていくと徐々に好感を持ってしまう。

『ちょっとすてきなヨーロッパの窓の写真集があります。

今後の創作活動の参考になるかもしれません。

写真の中でも素敵なものを送ります。

本当は、著作権法違反だから、内緒にしてね。

ケイジロウ』

……ケイジロウ……


マウスを持つ汐路の手が凍り付いた。

京子たちが書いたレスポンスには、『はじめまして、素敵な写真のファイルありがとうございます』とある。

汐路は呆然《ぼうぜん》と見つめた。

いつの間にか夕食から戻ってきた祥一郎が隣に立ってモニターを覗《のぞ》き込んでいる。

「ケイジロウって誰？」

汐路はモニターを指で弾《はじ》いた。

「知らない」

「あなたが、このページ作ったんでしょ？」

「僕は材料とテキストデータをもらうだけです。それを元にホームページを作って、プロバイダーに送ってたんです」

汐路は、がっかりした。

「あなた『ビルダー君』ね」

「なんですか？」

「昔、『アッシー君』とか、『メッシー君』とか、いたじゃない。それのパソコン版。ホームページビルダー君って、今、あなたのために名前つけてあげた」

「メッシー君って？」

中学生には、もうこの言葉は通用しなくなっているらしい。

「食事をおごってもらう時にだけ呼ばれるボーイフレンドのことだけど」

祥一郎は、むっとしたようだった。

「そういう男のことをクラスの女の子は、『メシヅル』って言ってます」

汐路は、ますます露骨になった表現にうんざりした。

「じゃ、『ビルヅル君』。彼女のホームページでの活動について知っている限り教えて」

祥一郎は、『ビルヅル君』と呼ばれて、ひどく自尊心が傷ついたようだった。必死になって思い出そうとしている。

「最初は、一週間に一回、ホームページを更新しようって言ってたんだけど、すぐに行き詰まって……あの……、聞いてます？」

汐路は祥一郎に背を向けて、更新順にホームページを読んでいた。

「聞いているよ。最初は、そんなもの。だから、ホームページのタイトルに、『週刊』とかつけないことね……。続けて」

「それで、一ヵ月に一回にして、だいたい半年ぐらい続いたんです。それで、その後、更新のデータがこないから、京子にどうしたのってきいたら、もう止めたって」

「なぜ？」

「聞いたけど、答えてくれなくて」

「この月の更新時にプロフィールから個人情報が消えているよね。この前にトラブルがあったと思うんだけど、どんなトラブルか聞いてる？」

「さあ……」

汐路は、手をとめた。

「ねえ。ビルヅル君。少しは、私を喜ばせるような情報はないの？」

「じゃ、汐路さんには、何か情報があるんですか？」

汐路は、秘密にすることを条件に、ケイジロウのことについて大ざっぱに話した。中学生の意見も、ひょっとしたら何かの突破口になるかもしれないと思ったからだ。

祥一郎は汐路の話にひどく驚いたようだった。

「ひょっとして、そのケイジロウという人が、毒電波とか催眠術で、美恵を……」

「何よその毒電波って。君、本当に中学生？」汐路は肩を落とした。「それにね、催眠術では、誰かを殺せとか、自殺しろとか言っても、著しく自分に不利になるような暗示は効

「そのぐらい知ってます」祥一郎は、宙を睨んだ。「じゃ、洗脳とか……かないの」

「洗脳というのは、何ヵ月も何年も社会から隔離して、きちんとしたプログラムで一定の価値観を植え付けるの。美恵ちゃん、そんなに長い間どっかに行っていたことある？」

祥一郎は首を振った。

「二人は、どんなメールのやりとりをしていたのかな。彼女たちのパソコンの中に何か残っていればいいんだけど」

「京子の方は知らないけど、美恵のは警察が調べて、データも何も無かったって」

フォーマットされていた木崎礼香のパソコンを思い出した。

「京子ちゃんの家に入れる？」

「事件の前には、時々遊びに行ってたんだけど」

汐路は目を閉じて考え込んだ。その様子を祥一郎が不安そうに見つめる。

汐路は目を開けた。

「彼女のハードディスクとバックアップメディア、あれば日記も盗んできて」

「えっ？」

「彼女が事件の前にどんなメールを出していたか知りたいの」

「ハードディスクの抜き方なんて知らない……」

「じゃ、訓練しよう」

祥一郎は、またもじもじと体を動かした。

「今から？　もう遅いですけど……」

「女の子でも私くらいの年になると門限はないから安心して。ドライバーは？」

祥一郎は机の中から嫌々ドライバーのセットを取り出した。

「彼女のパソコンのメーカー名と型番は？」

「これと同じです。親が一緒に買ったから」

「最高。じゃ、一分でカバーを分解し、ハードディスクを抜き取り、新しいハードディスクを挿入し、元どおりにする訓練をしよう」

「でも……」

「このタイプは、カバーを背面の三つのネジでとめてあるよね」

しぶしぶ祥一郎はパソコンを後ろから覗き込んだ。

「手順は簡単。一・モニターをパソコンからおろす。二・パソコン本体のカバーを外す。三・ハードディスクと本体を繋《つな》げているケーブルとネジを抜く。四・ハードディスクを本体から外す。五・新しいハードディスクを入れる。六・新しいハードディスクと本体をケーブルとネジで繋げる。七・パソコンのカバーを元に戻す。八・モニターを本体の上におく。これを君は、一分でやる」

「一分で？」

「そうだよ。トレーニングすれば簡単」

「でも……」

「用意」

汐路は腕時計を見た。あわてて祥一郎はドライバーを手にとった。汐路は、眉《まゆ》をしかめて祥一郎のドライバーをとり上げた。

「マイナスドライバーじゃなくて、こっち」

プラスドライバーを渡した。

「始めて」

祥一郎はパソコンに飛びついたが、手つきは、もたもたと頼りない。それでも何とかカバーは開いた。

「パソコンの中はスカスカなんですね」

「最近のパソコン少年は、カバーも開けないの？」

汐路は、祥一郎の不器用さに嫌味を言った。

全行程が完了するのに、二十分近くかかった。それでも何度か練習する内に、三分を切るようになったが、それからの時間は、なかなか縮まらない。午前四時をまわると、祥一郎は眠気でだんだん注意力と集中力が落ちていった。

「ちょっと休憩してもう一度挑戦してみよう。時に、私はコーヒーが飲みたいのだけど」

祥一郎は、ぶつぶつ言いながら母屋の方に行き、十五分ほどでコーヒーを持ってきた。

「キスケ婆ァの従姉妹《いとこ》も、やっぱりキスケ婆ァだ……」

「キスケ婆ァ?」

祥一郎の呟《つぶや》きを汐路は聞きとがめた。

「西先生。西先生は、毎日九時過ぎまで部活させてるんです」

汐路は、気むずかしそうな従姉《いとこ》の顔を思い浮かべた。あだ名からして、あまり生徒に好かれていないようだった。

「キスケっていうのは、あの鎌《かま》を持ったキスケのこと」

祥一郎は頷《うなず》いた。

「汐路さんの時にも、この話あったんですか」

小学生の時に聞いたことがある。どこにでもある怪談の一種だ。

「学校のトイレの一番奥に入っていると上から真っ黒な顔のキスケが覗《のぞ》き込む。気がついても上を見たらいけない。気づいて見上げると、キスケに鎌で首を切り落とされる。そんな時は、気がつかないふりをして外に出ろってやつでしょ」

「違いますよ。キスケが出るのは教室です。教室に最後までいると、いつの間にか真っ黒な顔のキスケが後ろに立ってるって。だから、振り返っちゃだめなんです。そのまま真っ直ぐ教室の前に行って、前のドアから出ないと……」

「校舎が新しくなるとキスケも住まいを変えるんだ」

汐路はコーヒーを飲みながら笑った。他のことはともかく、祥一郎はコーヒーをいれるのは上手なようだった。

「汐路さん、『這《は》いずり』っていうのは、聞いたことあります？」

「それは知らない」

「夜歩いていたら、這いずりが現れるんです。そいつは、びしょぬれで、手だけを使って早瀬のあちこちを這い回っているんです。這いずりと目が合うと、ニヤッて笑うんです。僕が行っていた幼稚園に伝わっていた話なんですけど」

「……それで？」

「それで、おしまいです」

汐路は笑った。

「這う原因とか、這いずりを見たらどうなるかとか、ないの？」

「知らないですよ。でも、怪談ってそんなもんでしょ」

「そうかな。話が広まるにつれて、もっともらしいのがつけ加わるんだけどなあ」空になったカップを盆に戻した。「というより、その原因や話の尾鰭《おひれ》の方が本質を語っているものだけど」

「本質？」

「例えば、体を切断された人の怪談話はたくさんあるよね。原因としては、列車の飛び込み自殺に失敗したとか、東南アジアで見せ物になるためとか。尾鰭としては、体を切断された人の年齢、性別、職業とか……。そういった部分の方が、話を作ったり広めたりする人の心理を表しているんじゃないかな。だから、怪談が広まる時には、そっちの方が心の奥で先にできているんじゃないかって気がする」

「じゃ、這いずりの話は、そういった原因や尾鰭がついてないから真実?」

汐路は、あきれて祥一郎を見つめた。

「私の話をどう聞いたら、這いずりが実際にいるなんて答えが出るの?」

祥一郎は顔を伏せた。

「まあ、そういうのが見たかったら、歌舞伎《かぶき》町か渋谷《しぶや》に行けばいいよ。びしょぬれといっても、水でじゃなくて血でだけど……。さあ、脳が完全に眠る前にもう一度、練習して」

休息の効果が現れたのか、祥一郎は、初めて二分を切った。

「これでいいよ。本番でもがんばってね。もう寝てもいいよ」

祥一郎は、ベッドに倒れ込んだ。

「もう二時間ちょっとしか寝られない」

「接触してきたのはあなたの方よ。大人をからかうとこうなるの。じゃ明日、盗みに行くから連絡待っていてね」

汐路は、ワークマンズコートを羽織って、部屋を出た。むっとするような夏の風が、汐路のコートをなびかせた。

汐路が家に戻った時には、夜が明け始めていた。郵便受けを開き、新聞を取ると、新聞の陰に膨らんだ封筒があった。昨日の夕方には見なかったものだ。封をしていない。中には小瓶があった。透明の液体だ。汐路は、ティッシュペーパーで、そっと摑《つか》んで蓋《ふた》をとった。何も匂いはない。また、そっと蓋をして、離れに入った。

　キッチンを覗くと明奈が朝食の準備をしていた。

「朝食は食べた？」

「ううん」

　明奈は、汐路の手のものに気がついた。

「それ何？」

「何かわからない液体が入った小瓶。郵便受けに置いてあった」

　汐路は、また、ティッシュにくるんでテーブルに置こうとした。

「そんなもの食卓に置かないで」

　明奈は悲鳴をあげた。汐路は明奈の声の大きさに驚いた。

「松原孝？」

「わからないわ。こんなことは今までなかったのに」

「一応、警察に知らせておこう」

「でも」

「でもじゃないよ。きちんとしないと」

　汐路は、110番通報した。女性のオペレーターが出た。

『その小瓶は保管しておいてください。後ほど署員が回収します』

「私たち、外に出なくてはならないんですけど、いつ来ていただけるのでしょうか？」

『後ほど署員が回収します』

何度か押し問答をしたが、埒《らち》があかない。汐路は電話を切った。

「後で回収に来るって」

小瓶をもう一度見た。

「どこに置く？」

「納屋にいれて」

離れに置きたくないのはよくわかった。その小瓶には得体の知れない精神を蝕《むしば》む毒が滲《にじ》み出ているような気味悪さがあった。汐路は玄関を出ると納屋に行き、棚の上に置いた。

食卓についた明奈は、思い詰めたように「もう一度警察に行ってみる」と言った。

九月七日

汐路は呼び鈴の音で目を覚ました。寝袋から起き出して玄関にでると中年の警察官が立っていた。朝通報したのに、もう日暮れになっている。

「通報をもらったんだがね」

面倒くさそうに警官は呟《つぶや》いた。

「これなんですけど」

汐路は、納屋から小瓶を持ってきて渡した。

「それじゃ」

警官は帰ろうとした。

「話は聞いてくれないんですか？」

「昼頃、お姉さんが図書館の職員と来て話していった」

警官の気のない態度が腹立たしかった。

「この小瓶はどうするんですか？」

「それも、これから決めることだから」

「犯人は、多分、松原孝です」

「それは、うちが決めることだ。一応、彼にも事情は聞くけどね」

「小瓶の受け取りを書いてください」

警官は顔をしかめた。初めて見る感情らしい感情だった。

その表情もすぐに無表情に戻り、警官は面倒くさそうに手帳に書き込み、そのページを破ると汐路に渡した。

汐路は、いらだった気分のまま車に乗り、祥一郎を拾った。

車は京子の家の側に置く。店は既に閉まっていた。汐路たちは通用口に立った。さっきから緊張して硬くなっている祥一郎が不安そうに呟いた。

「京子の部屋に通してくれるかどうかわからないよ。通してくれてもおばさんが側にずっといたらどうするんですか？」

「今頃気がついたの？」

「えっ？」

　汐路は、かまわずベルを押し、呆然《ぼうぜん》とつったっている祥一郎を残して陰に隠れた。玄関が開く。中年の女性が出てきた。物陰で見ている汐路は、彼女が京子の母親だとわかった。子供を失った母親の顔は、どこか共通したものがある。精神のどこかが欠けてしまったような表情だった。

「あの、おばさん……」

「あら、祥ちゃんね。ずいぶん久しぶり」

「僕、あの、京子ちゃんのことで……」

　祥一郎は、しどろもどろだった。汐路は陰から出て、京子の母親に頭を下げた。

「すみません。私、島汐路と申します」

　京子の母親は、汐路を見た。

「島屋敷のお嬢さん？」

「夜分遅くすみません。お嬢さんのことお悔やみ申し上げます」汐路は、もう一度、深々と頭を下げた。「実は、お嬢さんと、電子メールで何度かお話ししていたんです。今回、あんなことになってしまって。本当は、もっと早く来ないといけなかったんですけど、あいにく埼玉の方に住んでましたから」

「まあ、島屋敷のお嬢さんと文通していたなんて、ちっとも知りませんでした」

「インテリアデザイナーになりたいとかで、デザインの事について私に質問していたんです。それで、何度かメールのやりとりをしていたんですけど、直接は、お会いできないまま……。せめて、お線香でもと思いまして」

「ええ、ええ、どうぞ、上がってやってください」

汐路は、ちらりと祥一郎の顔を見た。

「あの、僕、京子ちゃんの部屋で待ってましょうか？」

「そうしてくれる」

京子の母親は、ほっとしたように言った。

祥一郎は二階に上がっていった。

汐路は仏間に通された。父親も出てきた。汐路は線香をあげて、京子の写真を見た。勝ち気そうだが、まだ、子供の顔だった。汐路は、適当に京子との電子メールのやりとりをでっち上げた。ホームページで、いろいろな情報を見た汐路にとっては、つじつまを合わせるのは、たいして難しいことではない。ただ、架空の事実に耳を傾ける両親を見ると、心が痛んだ。

十分ほどすると、祥一郎が階段を降りてきた。

「やっぱり、僕、今日は帰ります」

「そう。お茶も出さないで、ごめんね」

祥一郎は逃げるように出ていった。

「あら」汐路は腕時計を見た。「こんな時間だったんですね。私も帰ります」

汐路は、線香をあげてくれたことをありがたがる両親にもう一度深く頭を下げると、急いで外に出た。必要なことと自分なりに納得してやったことだが、気分は最低だった。

車を駐車した場所に戻ると祥一郎が憮然《ぶぜん》として立っていた。黙って突き出すバックパックの中にハードディスクと数十枚のフロッピーディスクが入っていた。

「日記とかは無かった？」

「無かった」

ひどく不機嫌な声だった。

「確か？」

「確か。部屋中調べた」

「彼女が持っているハンカチの中で、一番多い色は？」

「水色」

「下着の色では？」

祥一郎は、ちょっと詰まった。

「白が多かった」

「一応、全部の引き出しは開けて確かめたらしいね」

汐路は車のドアを開けた。

祥一郎も、もう慣れたのかシートのない助手席にちょこんとかがみ込む。

「僕、ちょっと疑問があるんだけど」

「ちょっと？　私は疑問だらけ」

「なぜ、汐路さんは、時間稼ぎしてくれるって教えてくれなかったんですか？」

「君の機転を試すため。そのぐらいじゃないと、ハードディスク返す時に困るでしょ」

祥一郎はハードディスクの入ったバックパックを見た。

「僕が返す？」

「そうだよ。きちんと返しておかないと君が疑われるよ。君の指紋だらけのハードディスクに入れ替えてるし」

「どうやって？」

「もう一度機転をきかせて」

祥一郎は泣きそうな顔をして汐路を見た。

祥一郎の部屋に戻った汐路たちは、パソコンに京子のハードディスクを入れた。

電源を入れる。

「いい。何が起こったのか知るためにしょうがなく京子ちゃんのメールを覗《のぞ》くわけだけど、読んだ内容は、誰にも言ってはいけないし、読んだことで自分の利益を得ようとしては駄目。単なる覗き趣味で読むのも駄目。約束しなさい」

「約束します」

「もし、喋《しゃべ》ったら……」

汐路は、じっと祥一郎の目を見た。

「喋ったらどうするんです？」

「どうもしない。ただ、あんたは、自分が最低の覗き屋って事実を抱えて生きていくだけ」

祥一郎は、思いっきり首を振った。

汐路は、京子の電子メールの郵便箱を開いた。家族内にパソコンが使える者がいなかったからか、パスワードは設定していなかった。画面には着信、発信した順序にメールのタイトルが映し出されている。

汐路は、「ごめん、見せてね」と言った。あわてて、祥一郎も「ごめんなさい」と呟《つぶや》く。とりあえず、試しに一番古い受信メールを見てみた。

『件名・テストメール・発信者・祥一郎
京子ちゃんのテストメール届いています
（僕が打った文章だけどね）

簡単だろ？』

第一回目の記念すべきメールは、祥一郎からのものだった。汐路は、祥一郎からのメールに対する京子の返信を開いた。

『件名・リターンテストメール・発信者・京子
めえるの終わらせ方がわかりません
そのまま終わってもいいですか
うまく通信が切れなかったら料金がかかりつづけるってことはないですか
祥ちゃんこっちに来てください』

祥一郎は、お互いの家を行き来しながら教えたらしい。しばらく、馬場京子のたどたどしい文章が続いていく。画面に現れるメールのやりとりに上野美恵が加わり始めていた。横で見ている祥一郎の目が潤んでいる。

『件名・カバ・発信者・美恵
＞カバのやろう、すげーむかつく
そうそう、いやになるよね』

「カバって誰？」

「教頭……」祥一郎は詰まった声で答えた。

汐路がふと、下のカウンターを見ると、三千二百二十五通の着信と二千八百十七通の発信メールとあった。

「これを一年ちょっとで？　勉強する暇なんかないじゃない」汐路は振り返って祥一郎を見た。「とても、全部は見られない」

汐路は、ため息をついて、また、モニターに向かった。まず、着信したメールを発信者別に並べ変える。これはボタン一つの操作だ。着信したメールの中にネットワ・テックの関係者がいないか調べたが該当する者はいなかった。

ケイジロウからの通信は、全部で八十通あまりあった。日付からすると四カ月間に集中している。最後の通信は、早瀬の事件の前日まで続いていた。汐路は最初の一通を開いた。

『上野美恵様、馬場京子様
ホームページ拝見しました。
初めてお便りさしあげます。
僕は、京都でインテリアの勉強をしている者です。
（大学では一応建築学科の三回生ですけど）
お二人のホームページ楽しく拝見しました。

特に作品Ｎｏ．１２とＮｏ．１４は、とてもすばらしいと思います。

ちょっとすてきなヨーロッパの窓の写真集があります。

今後の創作活動の参考になるかもしれません。

写真の中でも素敵なものを送ります。

本当は、著作権法違反だから、内緒にしてね』

「嫌な感じね」汐路は呟いた。

「そうですか？　親切な人だと思うけど」

「作品Ｎｏ．１２とＮｏ．１４って素敵だと思った？」

祥一郎は口をつぐんだ。

「特に男性からみたら耐えられないほど少女趣味だと思うんだけど……。これは、みえすいたお世辞。でも、ケイジロウのプロフィール、二人は飛びついたでしょうね。同じ夢を持つ、しかも異性の先輩からメールがきたんだから。早瀬には、インテリアデザイナーや、それを目指す人なんかいないはずだから、初めての先輩よ」

汐路は、指でモニターに表示されたケイジロウのメールを叩《たた》いた。

「著作権法違反のことをして、『内緒にしてね』って言ってる。これは、相手に共犯者意識を持たせて、いっきに内側に飛び込もうとしているのね」

「それは、考えすぎでしょ。僕だって京子や美恵に違法コピーあげたことがあるけど」

「あのねえ。違法コピーは窃盗と同じ事なの。形がないから罪の意識を感じにくいけど、制作者の努力や時間を盗んでいるのと同じなんだからやめてよね」

　強い口調に、祥一郎はうつむいた。

「たとえ違法コピーするにしても、誰か知らない人にあなたは送る？　最初から親しい人ならともかく、初対面以前の人に送るとすれば、何かの意図があると考えた方がいいね。女子中学生の好意を得たいぐらいならかわいいけど」

「やっぱり考えすぎだと思う」

　祥一郎は、汐路の考えがどうしても納得できないようだった。

「じゃ賭《か》けようか。多分、次のケイジロウのメールでは、丁寧語が消えてるよ。丁寧語は、相手に対して少し距離をとる……尊敬の場合もあるけど……まあ、そういう言葉だから、相手の中に飛び込む場合には邪魔になるの。多分、ケイジロウは、相手の都合を考えずに一気に人間関係の距離を縮めてくるわよ」

　汐路の頭に、いつまでも丁寧語を使っている石丸のことが浮かんだ。

……彼が部下にまで丁寧語を使い続ける理由は、なんなのだろう……

「何を賭けるんですか？」

　祥一郎の言葉にふと我に返った。

「あんたが負けたらコーヒーをいれてきて」

「汐路さんが負けたら……」

汐路は答えずに、次のメールを開いた。


『やあ。返事ありがとう。

そんなに喜んでくれるとは、思わなかったな……』


祥一郎は驚いたようだった。


「どうしてわかったんですか？」

「この世界長いから。この世界は、ストーカーや詐欺師には事欠かないの。まあ、長くいてもぼんやりの直らない人もいるけど」

汐路は、ちらりと祥一郎を見たが、彼はくいいるようにメールを読んでいた。

「それはそうと、祥一郎君も、何をぼんやりしてるのかな？」

「えっ？」

「賭《かけ》は君の負けでしょ。コーヒーをいれてきてくれるんじゃないの？」

祥一郎は、パソコン画面に未練一杯という表情で部屋から出ていった。汐路は先を読んだ。

『ホームページにも僕の便り載せてくれてありがとう。

これからもドンドン資料からスキャンして送る。

著者にばれると怒られるかもしれないので、ホームページでは内緒だよ』

ホームページにケイジロウのメール紹介が一通しかない理由がわかった。

……これからは、三人の閉じた世界が始まるわけか……

汐路は次々にメールを開く。

『君たちはロフトが好きそうだけど、ニューヨークのロフトの本があるんだ。とてもすてきな本だから見てみるといいよ。

題名は、ずばり「ロフト」。

高い本だから図書館にあるといいね。

ないといけないから、特別に良い部分をスキャンして送る。

ちょっと画像ファイルが大きくなってごめん』

『ロフトの本、早瀬町の図書館にあってよかったね。

作品No．26を見てみた。一番素敵なのは、このロフトの天窓だ。

こんな部屋で寝っころがって、空を眺められたら素敵だね』

汐路はホームページのファイルを見た。明らかにケイジロウが送った『ヨーロッパの窓』の画像ファイルの影響を受けている。

「なにが素敵よ。自分のアドバイスが的確だったと言っているだけじゃない」

汐路は次々にメールを開いた。ケイジロウは、いろいろなインテリアの情報を知らせている。ネットで拾った情報、書籍からの転載。そういったメールが何通も続いた。

ドアが遠慮がちにノックされた。

「どうぞ」

祥一郎が、盆にコーヒーを載せて入ってきた。汐路はコーヒーカップを受け取り、一口飲んで顔をしかめた。

「あんた、手を抜いたでしょ」

「どうなってるか、気になって。で、どうなんですか」

祥一郎は身をのりだしてモニターを見た。

「別にどうもなっていない。ケイジロウは、二人のいい教師になってるね。無報酬なのに熱心な教師。京子ちゃんたちは信頼し始めたというところかな」汐路は、コーヒーの残りを一気に飲んだ。「そろそろトラブルがあった時期にはいるね」

「トラブル？」

「途中で、個人情報をホームページから削除したでしょ。何かあったのね」

『キタロウとか言う人のメール見た。

ひどい内容だね。

誰かが創造的な活動をしていたり、心の中にいい世界を持っているのを見たら、わざわざ石をなげる奴がいるんだ。

でも、これに負けないで続けてほしい。

こうした問題に強い人を紹介する。きっと力になってくれると思うよ。

名前は、ピースケと、すみちゃんって言うんだ。

ネットで知り合った仲間なんだけど、興味があったらメールを打ってみたら。

メールアドレスをつけておく。

負けずにがんばれ』

汐路たちは、キタロウという男のメールを開いてみた。本当にひどい内容だった。京子たちの作品や意見に残る未熟さ、無知さ、間違いについて、きつい調子で非難している。『こうした作品をネット上で公開するのは、生ゴミを道にばらまいているのと同じで迷惑です。ただちに、ホームページを閉鎖してください』とまで書いてある。そうしたメールが何通も続いていた。

単なる嫌がらせならメールを開く前に捨てることもできるが、彼の指摘は批評としては的確なので、新しいメールが来たら読みたくなくても開いてしまっただろう。汐路は、メールアドレスを見た。フリーメールだった。次にピースケ、すみちゃんからのメールを見た。それぞれ百通ほどある。どうやら大量のやりとりをしていたらしい。

最初の数通を開いてみた。簡単な自己紹介に続いて、励ましや、解決のアドバイス等が書かれている。信頼しているケイジロウの紹介もあってか、あっというまに京子と美恵は、親しいメール友達になっていっている。

キタロウとピースケたちの間で、長く真剣なメールのやりとりが続いた。

やがて、キタロウもあきらめたのか、『甘ったれどもは勝手にしな』という捨てゼリフを残して去っていった。

その日から、京子たちは新しい友人に、日頃の不満なども隠さずに話すようになっている。トラブルを解決してくれた先輩たちを完全に信頼したようだった。メールを見る限りでは、ピースケというのは結構急進的で、すみちゃんは保守的な好みを持っているようだった。時に、ピースケとすみちゃんの間で議論が起こり、ケイジロウは、それをなだめたりしている。

「なんだか、ケイジロウは、二人の力になっているような気がするんですけど。いい人も紹介してくれてるし」

「そうかな」

汐路は、ケイジロウ、ピースケ、すみちゃん、キタロウからのメールをそれぞれ一つのファイルにまとめた。

いくつかの語で検索する。祥一郎は、不思議そうにその作業を見つめていた。

「ふうん」

「何かわかったんですか？」

「祥一郎君、パソコンで『馬鹿』って、書いてごらん」

祥一郎は、新手の嫌味かと体を硬くしたが、キーボードで『B、A、K、A』と打った。画面には、『馬鹿』と表示された。

「私の場合は、こう」

汐路は、日本語入力の設定を変えて、ひらがなで、『は、゛、か』と打った。画面には、同じく『馬鹿』と表示された。

「汐路さん、ひらがな入力なんですね」

「珍しいでしょう。日本人の九割は、ローマ字入力を使っているから。でも、ケイジロウ、ピースケ、すみちゃん、キタロウは、全員がひらがな入力をつかっている。ある四人グループが全員ひらがな入力を使っている確率は、一万分の一」

「どういうことですか？」

「つまり、この四人は、同一人物ってこと」

祥一郎は、呆然《ぼうぜん》とした。

「どうやってわかったのか教えてあげる。打ち間違いを探すの。例えば、『馬鹿』って打つ時に、私は、『は、゛、か』と打つけど、『ぱか』と打ち間違う可能性があるの。キーボードでは、『゛』と『゜』とは、隣同士のキーだし、『ば』と『ぱ』は、モニター画面では見分けにくいでしょ。ローマ字入力だと『B、A、K、A』を『P、A、K、A』と打ち間違ったりしない。『B』と『P』は、全然別の場所にあるからね」

「じゃ、打ち間違いを全部調べたんですか?」

「まさか。そんな手間のかかる事はしないよ。祥一郎君、濁点だけ打ってみて」

祥一郎は、指を宙に浮かせたまま固まった。ローマ字入力だと濁点だけ表示するのは難しい。

「ひらがな入力だと簡単」

汐路は、『゛』のキーを叩いた。画面には、単独で濁点が表示された。

「ひらがな入力だと、濁点だけが独立して文章の中に出ることがよくあるの。ケイジロウのメールの中にひらがな入力でしか起こらないミスを発見したから、他の三人が書いた文章の中に単独で濁点が現れないか『゛』で検索した」

「汐路さん、どうしてこんな事を知ってるんですか?」

祥一郎の質問に汐路は、「この世界長いからね」とごまかした。

実際は、違っている。

汐路がネットワ・テック社に入って最初にプロジェクトに参加したとき、汐路たちの作ったゲームが製品化される前に外部に漏れ、インターネットを通じて世界に広がるという事件が起こった。製品化される前のソフトには、プロテクトと呼ばれるコピー防止機能が入っていない。幸い、外に漏れたのは、売り上げの中でも比較的割合の少ないパソコンバージョンのみだったが、スタッフたちは激怒した。ディレクターの石丸を除く全員がネットを使って犯人の追跡を始めた。汐路の知識は、その時に先輩スタッフから教わったものだった。石丸は、「あとで後悔するからやめた方がいいですよ」と言ったが、スタッフたちは、最初の怒りを忘れ、犯人を追跡するというゲームに熱中した。

犯人は簡単にわかった。ネットワ・テック社のヨーロッパ販売会社に勤める日本人の男だった。彼は、プロテクトのかかっていないソフトを息子にコピーして渡していた。誰かに売りつけようとかネットワ・テック社に損害を与えようとかの理由ではない。単に面白いゲームを発売前に息子にプレイさせてやりたかっただけだった。その子は取り扱いを厳重にするように言われたが、コピー防止策が入れられていないノンプロテクトのソフトが製品の発売前に持つ破壊力を知ってはいない。友人から友人へ、そして世界へと広がっていくのに時間はかからなかった。

男は、懲戒解雇された。狭い業界だから復帰はありえない。日本に帰ってきたという噂も聞かない。その結果を知ったスタッフたちに勝利感はなく、苦い思いだけが残った。

「次のを読むよ」

汐路は、次々とメールを開いた。

読んでいると、徐々に京子たちの考えが、三人、というよりもケイジロウの創った三人の考えに染まっていくのがわかる。

「あれ？　今までは、メールの宛先は、京子と美恵二人だったけど、京子だけが宛先のメールが多くなってる。これはどういうこと？」

それは、汐路も気づいていた。気づいてからずっと嫌悪感と寒気を感じ続けていた。

「ろくでもない傾向。おそらく美恵ちゃんには、美恵ちゃんだけを宛先にしたメールが届いてる。理由は後で教えてあげる。それよりもこれ……」

それは、ピースケのメールだった。

『君たち名前付きのジャージ着て登校させられてるの？

それって犯罪だよ。

世界中で体操のジャージで登校するなんて日本だけだよ。

僕の住む所に田舎からジャージ着た修学旅行の一団が来るけどね。

こっちじゃパジャマで町を歩いているのと同じだと思われるね』

これには、汐路も全く同意見だった。しかし、続く文章はひどかった。

『まあ、そうなる理由も解る。

教師は、ジャージの指定業者に接待を受けているからね。

嘘だと思ったら量販店のジャージと指定業者のジャージの値段を較べて見ろよ』

「これ本当?」

祥一郎が憤慨したように汐路に言った。

「馬鹿ねえ。そんなはずないじゃない。日本中探せば二、三校は、あるかもしれないけど。ジャージの上前なんかはねたって、大した額じゃないでしょ。たいていの理由は、『生徒の管理が楽だから』とか、『納入業者のおじさんがいつも愛想良くて』とか、『わざわざ替えるのも面倒』とか、『替えてみて問題が起こったら責任問題になる』とかよ」

汐路としては、本当の理由よりも、上前をはねるような悪の方がわかりやすいし好きでもあった。しかし、中学生に対して、このメールを送るのは、生活に毒をそそぎ込むのと同じだ。

「それでか」

隣で祥一郎が呟《つぶや》いた。

「何かあったのね?」

「修学旅行にジャージで行くって言われたときに、京子たちが反対したんです。先生らと議論になったけど、どうにもならなくて……。それで京子が生徒会に提案した」

「猛反対くらったでしょ。特に三年の女子から。多分、『私たちががまんしたのに、どうして二年が』って」

祥一郎は肯《うなず》いた。

汐路は目をつむった。ケイジロウは、二人を現実の人間関係から切り離そうとしている。そして多分それは、ある程度成功したのだろう。いざと言うときに強権で介入できる教師にも、『面倒なことを言う奴だ』という認識を与えたかもしれない。

汐路は、ネットワ・テック社の宇賀神たちのことも思い出した。彼女たちの事件は、唯一、強権でプロジェクトに介入できる管理職が長期出張中に起こった。

次に、『すみちゃん』の名で発信されたメールを読んでみる。『ピースケ』と違って、特に過激な発言はないが、たわいもない京子たちの悩みにもきちんと答えている。これを読んだ京子たちは、年上のやさしい先輩というイメージを持っただろう。悩み相談だけでなく、女の子同士の噂話もしている。

『友達から聞いたのだけど、女の子が自殺したの。そしたら警察がフロッピーディスクやハードディスクをその子の部屋から押収したんだけど、それからすぐに内容がインターネットで広まったって』

彼女のメールには、その後、広まった恥ずかしい内容や、それが死後周りでどんな反応を起こしたかなどが詳しく書かれている。

「これ本当の話?」

「フィクションでしょ。でも、美恵ちゃんのハードディスクが犯行前にフォーマットされた理由はわかった」

……そして、たぶん木崎さんのも……

汐路は次々にメールを開いていく。

「見つけた。さっき『ろくでもない傾向』と言ったけど、それを教えて上げる」

『最近、ちょっと不安な事があります。京子ちゃん、美恵ちゃんとうまくやってる？　同じ夢を持つ友人は、とても大切なので大事に友情を育ててね』

ひどく思わせぶりな文章だった。

「何かあったのかな？」

祥一郎が呟いた。

「今の時点では何もないと思う。これから彼女が起こすよ」

どういうことか問う京子のメールに対し、答えをはぐらかせているすみちゃんのメールが続いている。何通目かのメールを開いた。

『美恵ちゃんには、内緒にしてね。

彼女からこんなメールが届いているの。

＞京子ってわがままなところがあるでしょ
＞作品創る時に私のアドバイス聞かないし
＞だるい

どんなことが起こっているのかわからないけど、友情は大切にした方がいいと思う』

「美恵って陰でこんなこと言ってたんだ」

「馬鹿。メールの一部だけ取り出して判断しちゃ駄目でしょ。女の子の間ではしょっちゅうあるの、ちょっと内緒でそこにいない人の悪口を言ってみるっていうのが……。悪意はないよ。言葉のスキンシップみたいなもの」

男の祥一郎には理解できないことかもしれない。

「だから、その時の会話は、いなかった人には言わないって言うのが一応のルールのはずなんだけど、結構、守られずに告げ口っていうケースは多いね。そういう場合、告げ口した人が人間関係を壊した犯人なんだけど、たいてい告げ口した人よりも陰で悪口を言った人の方が憎まれる」

「告げ口した人は、どうしてそんなことを？」

「まあ、妬《ねた》みとか、ちょっとした悪意とか……。でも、メールでそれをやられるとショックでかいのよ」

「もういいよ。ケイジロウが美恵を追い込んだ犯人だ。こいつの正体を暴いて警察に連絡しよう」

汐路は、興奮している祥一郎を手で制した。

「美恵ちゃんがケイジロウとどんなメールのやりとりをしていたのかは、もうわからない。でも、メールのやりとりだけで、殺人に追い込むなんて不可能よ。何か、現実世界でも二重三重の仕掛けをしてるはず。その仕掛けがどんなものなのか、ネットワ・テックで無理心中した人と美恵ちゃんたちを結ぶ線は、いったい何なのか、まだわからないことだらけ。それにケイジロウの正体を暴くのは、今のところ多分無理」

「ケイジロウが契約しているプロバイダーに行って調べてもらえばすぐにわかるじゃない。契約の時に使った口座とか」

「ケイジロウは、最初から周到に美恵ちゃんたちに狙いをつけている。そんな男、……女かもしれないけど……そんな奴が簡単に正体をばらすようなへまなことやると思う?」

「どうやって正体を隠すの?」

「いくらでも方法はあるよ。お金があるなら架空名義の口座を買ってプロバイダーとの契約をするのもいいし、通信にはプリペイドタイプの携帯電話を使えばいい。お金がないなら健康保険証を偽造してそこから貯金通帳をつくり……」

「健康保険証の偽造って簡単なんですか」

祥一郎は、興味を持ったようだった。

「うんざりするほど簡単。自分の保険証をスキャナーでパソコンに取り込む。中の記載内容を他人のものに変えてカラープリンターで印刷する。ちょっと滲《にじ》みなんかを修正すれば、絶対に見分けがつかない」

「じゃ、お札なんかも」

「お札は無理」

「すかしがあるから?」

汐路は、ため息をついた。

「あんた、買い物していて店員にすかしを確認されたり、ゆっくりお札を見つめられたことある?」

祥一郎は首を振った。

「偽札を発見した人は、色が違うような気がしたとか、すかしが無かったとか言うけど、殆《ほとん》ど最初に無意識でおかしいと感じるのはお札の手触り。お札に使う紙の手触りは独特だし誰でも知っているからすぐにわかるの。それからすかしや色で確認する。でも健康保険証は特殊な紙を使ってない。だから簡単に偽造できて、ばれることはないよ」

祥一郎は、がっかりした様子でモニター画面に視線を移した。ケイジロウたちからのメールの受信が、毎日から隔日に減っている。メールの送受信の時間から、ケイジロウたちが意識的に減らしているのがわかった。

「美恵の方も減っていったのかな？」

「憶測だけど、美恵ちゃんの方は増えていったと思う。少なくとも『すみちゃん』からのを除いては」

「どうして？」

「美恵ちゃんと京子ちゃんを和解させないために……。ネットにすてきな理解者がいるのに、勝ち気な上に不機嫌になってしまった友達と和解する努力をする？　現実の人間関係をみんな壊して、頼れる人はケイジロウたちだけにしていったのね」

汐路はケイジロウ人形で一杯の木崎の机を思い出した。現実世界で辛《つら》いことがあるたびに、あの人形は増えていったのだろう。

「なんか、吐きそう」

祥一郎は顔をしかめ、部屋の隅に行くと、置いてあるゴミ箱にさっき飲んだコーヒーを戻してしまった。

九月八日

汐路の車が門から出ようとした時、進入しようとしてきた西英子の車とぶつかりそうになった。学校の帰りらしい。

「あら」

汐路は、軽く英子に会釈してバックしようとしたが、英子は、車から出てきた。

「先日は失礼しました」

「これ、家の新聞受けに今朝、入れられていたの」挨拶《あいさつ》もせずに、英子は、紙を汐路に突きつけた。「ご近所にも配られているようだから、一応、あなたにも」

どこで撮ったのか、汐路と明奈の写真に手書きの文章を添えたものをコピーしてある。

汐路は、目を走らせた。

『島汐路は、早瀬に代々続く名家、島屋敷の次女でありながら、都会に出て、転職を繰り返している。今回も、ネットワ・テック社を辞めて早瀬に逃げ帰ってきた。

なぜか。転職先で必ず男関係で問題を起こして、辞めざるをえなくなるらしい。かつて、彼女の両親は事故で死亡していたが、無理心中であるとも噂されている。ひょっとすると母親の男関係からのトラブルで起こったのかもしれない。そうすると、まさしく、彼女は母親の血をひいていることになる。早瀬にとって不名誉なことである。彼女の連絡先は、郵便番号……」

住所の他に電話番号まで記してあった。両親が不仲だったのが事実だったとしても、男関係がどうしたというような母親の名誉に関わる中傷には激しい怒りを感じた。

汐路は、努力して冷静さを取り繕った。

「おやまあ」

「おやまあ、だけですか」

「これ配ったの多分、松原孝ですよ。うちの姉、彼にストーキングされているんです」

「知っています。図書館でのもめ事は、耳に入っていますから。それよりも、こうした文書が出ること自体に問題があるんじゃないかしら」

「良かったと思いますが」

「なんですって」

聞き間違いをしたのかという表情で、英子は尋ねた。

「この文章を真に受ける人と、馬鹿馬鹿しいと捨てる人がいるでしょ。つきあう人と、つきあわなくてもいい人を分けるいいリトマス試験紙になりますね」

英子は一瞬、返答に詰まった。汐路の反応は予測の範囲外らしい。

「そんなことを言っているとみんなから好かれない人になりますよ」

教師口調だった。

「私は、みんなから好かれようとしている訳ではないですよ。私らしい生き方をすれば、私を好きになる人半分、嫌いになる人半分でしょう」

実際は、百人いたら好きになる人一人、嫌いになる人九人、無関心な人九十人だと思っている。早瀬では、支持してくれる人の割合は、さらに砂金なみに少ないだろう。

……さっそく、小石の一つが見つかったわけだけど……

汐路は英子を見ながら、口の中で呟《つぶや》いた。

「ともかく、あなたは従妹《いとこ》なんですから、西屋敷に迷惑をかけるようなことは止めてちょうだい」

英子は、乱暴にビラを押しつけると車に戻り、バックしていった。

「誰もが気軽に手に取る百円ショップの商品みたいな生き方を、私はしないよ」

さっきは、思いつかなかったセリフを英子の車に向かって呟いた。

汐路は、夕食後、家計簿を付け始めた明奈にビラを見せた。姉が衝撃を受けるのはわかっていた。しかし、第三者から初めて見せられるよりは、ましだろうと思った。

「ひどい」ビラを何度も読み返しながら、明奈は涙ぐんだ。「松原?」

「百パーセントそう。あいつは私を邪魔者だと思っている」

「あなたに危害を加えるかしら」

「大丈夫。護身用品は離さないし」

その時、汐路の背筋に悪寒が走った。汐路は、口に指を当てた。そっと明奈の手の鉛筆を取り、家計簿の隅に『しばらく、喋らないで』と書いた。

『今、思いついたんだけど、私が会社辞めるの誰かに話した?』

明奈は、かぶりを振った。汐路は、中傷ビラの、汐路が退社したことを書いてある部分を指さした。

『多分、この部屋に盗聴器が置いてある』

明奈の顔が、こわばり、「嘘」と、思わず声を出した。汐路は眉《まゆ》をひそめて、再び指を口に当てた。

『私が今月末で会社を辞めることなんて早瀬の人が知ってるはずない。ネットワ・テック社は、絶対に社員の出入りや個人情報を漏らさない。会社の機密情報を手に入れる時にはその人たちと接触することから始めるから。それに、最初の夜にフィリフィヨンカに行ったときになぜ、あいつが現れた？』

明奈が汐路の手から鉛筆をとった。

『盗聴器なんて誰にでも手に入るものじゃないでしょ？』

『簡単。秋葉原なら店先に並べて売ってるし、通信販売でも手に入る』

汐路と明奈は、部屋を見渡した。安全と思い込んでいた場所にあの男は、入り込んでいる。部屋自体が汚らしく思えた。

『鍵《かぎ》を掛けずに外に出た事ある？』

『あいつがつきまとう前は……』

都会に暮らしていた汐路には、考えられない不用心さだった。

『おもてだってつきまとい始める前にやられたね』

『だって空き巣なんて少ないし』

明奈は、ひどく心を傷つけられたような顔をした。

このあたり、ずっと早瀬に住んでいる人と都会に住んできた自分との差なのだろう。犯罪に都会田舎の差なんかないのに、田舎の人は自分の住むところは安全だと誤解している。

しかも、早瀬では殺人に限って言えば、全国平均の三十倍もの高さで発生している……。

『どうしよう』

明奈は家計簿に、震える手で書いた。

『盗聴器の除去をしてくれる業者があるらしいから、そこに頼んでみる。除去業者が来るまで、ホテルに行っていて』

旅館は早瀬にもあるが、防衛の点から考えると国道沿いのビジネスホテルの方がいいように思えた。隣の市の警察管区にあるから、何かがあった時、早瀬よりは迅速に対応してくれるかもしれない。しかも、そばには神保の経営するレストランがある。

汐路は、急いで支度をした明奈を車まで送ってから、一人、部屋に戻った。あたりを十分に警戒してからドアを開ける。

中に入っても少しも落ち着いた気分になれなかった。

……松原孝に汚された空間……

恐《こわ》くはないが、汚らしかった。明奈は一緒にホテルに泊まろうと熱心に勧めたが、松原に負けるような気がして、首を振った。それに、少なくとも、侵入したのは、汐路が来る前だったろうから、自分の持ち物には手を触れてないはずだ。それが、慰めだった。しかし、ドアのノブや水道の蛇口等、松原が触ったかもしれない所は、ティッシュを被《かぶ》せてから触った。

ため息をつくと、ノートパソコンを立ち上げ、携帯電話に接続した。汐路は、『盗聴』というキーワードで検索する。ヒット数は、二万を超えた。

よく知らない分野なので、最初の十項目は、全て読んでみる。政府の盗聴法に反対するページも含んでいた。

「暇になったら勉強しよう」

キーワードを『盗聴器』に変え、『盗聴法』という言葉が入っているものを除外した。ヒット数は、千五百前後に減った。汐路は順番に読んでいった。

読んでみて驚いた。怒りがこみあげるようなストーカーの振るまい、気分が悪くなるような家族間の不信などが延々と展開されていた。盗聴器は、年間十五万個も販売されているらしい。音だけでなく、最近は映像も盗み撮る装置が出ているという情報を読んでからは、天井の蛍光灯のスイッチを切ってしまった。盗聴器自体は、素人ではわからないほど小さくなっている。探し出すには盗聴器の除去業者に頼むのが一番のようだった。業者の制作したホームページを見ると、簡単に依頼できるらしい。

しかし、問題点もわかった。けっこう悪質な業者もいる。除去一回一万円と言っておきながら、盗聴器が十個見つかると、十回分とカウントして十万円請求する業者。全ての盗聴器を除去する能力のない業者。こっそり自分が持ち込んだ盗聴器を「発見した物」といつわり、料金を取る業者。業者のページは多数あったが、どの業者が信頼できるのかわからなかった。自分のなじんだ世界でないと、勘が働かない。

汐路は、離れを出て、車に乗ると携帯をとった。

『はい。ネットワ・テック社です』

石丸の声が聞こえた。この時間にも会社に棲《す》んでいるようだ。

「石丸さん。島汐路です」

『ああ。島さん。なんか、久しぶりという感じがしませんね』

そう言いつつ石丸の声は嬉《うれ》しそうだった。

「まだ、一週間たってないですから」

『で、もう田舎に帰っているんですか？』

「はい。それで、実は、石丸さんにご相談したいことがあるんですけど……」

退社した後で上司に頼るのには抵抗感があったが、汐路は盗聴のことを伝え、信頼できる除去業者について心当たりがないか尋ねた。

『僕の知っている島さんのメールアドレスは、生きてますか？』

「はい」

『じゃ。心当たりに聞いてから連絡します。除去に行くとして、そちらの空いている時間は？』

「失業者ですから、いつでもかまいません。早ければ早いほどありがたいです」

汐路は、電話を切り、離れに戻った。コーヒーをいれているうちに石丸から電子メールが届いた。

『岡山の友人に専門家がいます。
よければ、連絡しましょう。
友人が求めている情報は、
1・住所・氏名・電話番号
2・調査する範囲（だいたいの面積と間取りを知りたいそうです。それから鉄筋か木造かの情報も）
3・希望の時間帯（できれば、相手が盗聴していると思われる時間帯）
以上で見積もりを立てるそうです
それでは』

汐路は、できるだけ詳しく答えたメールを打った。
一時間ほどで、石丸からメールが届いた。石丸の友人からのメールを転送したものだった。

『石丸です。
友人のメールを転送します。

＞やあ。源田だ。元気か？
＞さて、問い合わせの件だが、
＞料金は、出張費なんか全部含めて、友人価格でざっくり十八万円だな。
＞もし、再度侵入されないように鍵を替えるなら、プラス五万。

だそうです。いいですか。相場は、よくは知らないけど、ぼったくりはしない男です。

＞急いでいるようだから、あさっての夕方からでは、どうだ？
＞相手には、このメールを転送して確認をとってくれ。

この条件で良いなら、直接、相手と交渉してください。
連絡先を末尾に入れておきます。

＞じゃあな。源田航

これが、友人の名前です。「げんだ・わたる」と読みます。
実家に帰ったばかりでのトラブル、大変ですね。
島さんにはまた怒られるかもしれませんが、逃げるという選択肢を忘れないでください。

では……』

汐路は、源田という男に要請のメールをした。

九月九日

夕方、明奈からの電話で目を覚ました。汐路は携帯を持ったまま、離れから出た。

『こっちに泊まれない？』

「いろいろと調べたいことがあるの」

『ひとりじゃ眠れない』

汐路は、目をつむって考えた。

「じゃ、図書館開けて協力してくれない。知りたいことがあるから」

『何を調べるの？』

「敬次郎のこと」

『母屋を建てた大工の棟梁《とうりよう》？　なぜそんな人のことを？』

「眠れない夜には、ちょうどいいじゃない」

汐路は明奈の質問をはぐらかした。

『インターネットでは、調べられない？』

「インターネットで情報集めるのには不適当な分野なの。この前も普通の歴史年表を出そうとしたら二時間かかった」

『図書館なら二分ね』

「特に地方史は、苦手。そういうわけで手伝って。閉架の資料も調べたいし」

『じっとしているよりいいかもしれない。図書館の駐車場で待ち合わせる？』

「先についても、私が行くまでは、車から降りないで」

汐路は、戸締まりを確認してから車に乗った。

夜の早瀬の町を抜ける間、どこからか松原に見られているような感じを振り払えなかった。恐くはなかったが、悪寒がするような嫌悪感があった。

図書館の駐車場に人の気配はなかった。しばらく待っていると明奈の車が入ってきた。車の中から街灯の光であたりを窺《うかが》っている。

「大丈夫。護身用具も持っているし」

汐路はウエストポーチをなでた。

通用口の鍵《かぎ》を開け、二人そろって中に入った。

「全館の明かりがついたら、人が不審に思うわ。スタンドの光だけにしてね」

汐路は、椅子に座ってスタンドのスイッチを入れようとした。

「そこは外から見えるから、もっと奥の机を使ってくれない？」

汐路は、姉の言うままに移動した。

まず郷土史の書架を調べた。関連しそうな本を三十冊ほど机に持っていく。該当する年代を丁寧に調べたが、敬次郎についての記述は殆《ほとん》どなかった。愛媛大学のなんとかいう教授が近江敬次郎の仕事を紹介し始めたのは最近のことなので、これらの本が出版された時には、評価されていなかったのかもしれない。汐路は、次々に資料を開いた。

慣れない古いフォントの本を何時間も読んでいると、次第に疲れてきた。関係なさそうな年代の部分をぱらぱらとめくっているうちに、何か一瞬ひっかかる文字を見つけたような気がした。

『空芯《くうしん》、鶴太《つるた》、浮世之夢』と、表題にあった。

……なんだ、坊さんと稚児《ちご》さんの禁じられた恋の話か……

飛ばそうとして、ふとページにある『百姓喜助《きすけ》』の文字が目に入った。

『この年、百姓喜助一家の惨殺事件を元にした芝居、『空芯、鶴太、浮世之夢』が、松山市、丸亀《まるがめ》市で興行された』とある。明治の初めあたりの出来事だ。

汐路は、百姓喜助の事件を調べてみた。江戸時代の末期にあった。

『幕府の代官は、百姓喜助の財産をだましとった。喜助は言動がおかしくなり、最後は、槍《やり》カンナで妻子八人を惨殺した上、自分も首をはねて死亡した』

「見つけた。キスケの元ネタ」

汐路は、明奈に自分の見たページを開いて渡した。

「キスケというのは実在してたのね。でも、私が聞いた話とはずいぶん違うわ」

「かなりセンセーショナルなイメージだけが人の意識に残ったんだと思う。凶器もポピュラーな鎌になってるし。でも槍カンナって何？」

「さあ、その芝居の事も一緒に閉架の方で調べようか？」

明奈は地下の閉架資料の部屋に行った。汐路がさらに他の書籍で喜助を探し、それに疲れて自動販売機のコーヒーを飲んでいる頃になってやっと明奈は戻ってきた。

「机の上では飲食禁止よ」

明奈は、顔をしかめながら資料を汐路に渡した。毛筆で書かれたものだった。

「読めない」

「コンピュータのプログラムは読めても、文化遺産は読めないの？　いいわ、要約してあげる。喜助の家は、代々宮大工だったようね」

「宮大工？」

「神社や寺を建てたり修復する大工。お父さんのように一般の人の家を建てるのが町大工。槍カンナもわかった。宮大工の使うカンナらしいわ。この資料によると宮大工は特定の神社や寺に従属していたようね。寺の修理なんて何十年に一回だから、普段は百姓をして暮らしていたらしいわ。百姓仕事だけでなく修理の時に使う檜《ひのき》を育ててもいた。ところが、この時に金比羅の歌舞伎《かぶき》の大改修があったの。檜が大量に必要になる。そこで悪い代官が檜を無理矢理に喜助が管理している森から切り出した。代々続く仕事が果たせなくなると悩んだ喜助は、やがておかしくなって妻と七人の子供を槍カンナで殺して、自分も自殺しられる。たまたま、大怪我をしながらも残った子、鶴太は、事件の発覚を恐れた代官につれ去られる。鶴太を下男としているうちに、代官の奥方が気にいって養子にする。子として育てられるうちに、代官と親子の情が深まり、代官は、ある時、真実を告げて鶴太にわび、親のかたきをとるように刀を渡す。しかし鶴太は、それを許し、二人して抱きあう。代官は刀を捨てて出家し、空芯と名前を変えた」

「後半はフィクション」汐路は断言した。「流れに無理がありすぎるし、第一、事件が江戸末期に起こったのなら、鶴太が成人した時には幕府なんてない。捨てるにもなにも刀なんて差してないんだから」

「多分、当時の人が大衆向けに、書き換えたんでしょうね。それより敬次郎のことは何かわかったの？」

汐路は首を振った。

「愛媛大学に敬次郎のことを調べている先生がいるらしいから、そっちに行ってみる」

気がつくと、外は、ずいぶん明るくなっていた。

九月十日

盗聴装置の除去業者とは、フィリフィヨンカで待ち合わせることになっていた。

仕事を終えた明奈と店の駐車場に車を停めた。汐路は、車を降りる前に携帯電話を取り出した。

『はい、愛媛大学建築学科小田研究室です』

女性の声がした。

「実は、私、島汐路と申しますが、ぜひ、先生に伺いたい事がありまして」

『しばらくお待ちください』

保留音になった。

『小田やけど』

何か面倒臭そうな関西弁が聞こえた。

「私、近江敬次郎のことを調べているのですが、小田先生の著作を拝見して、是非、伺いたいのですが」

『ああ。敬次郎ね』急に声が明るくなった。『建築の学生さん?』

「いえ、美術ですが」

『美術か……。いつ来る?』

「良ければ、明日の夕方ではいかがでしょうか」

『明日の夕方とは急やけど、別にかまへん。おいで』

後ろで、『その時間は会議が』という女性の声が聞こえた。続けて、『かまへん、わしは明日病気や』という声。

『ほな、待っとるから』

「よろしくお願いします」

汐路は電話を切り、明奈と車を降りた。

店の中には家族連れと、カップルが何組か、席についていた。汐路たちは、神保に案内されてテーブルについた。

ドアが開いた。明奈は、さっと緊張するが、松原孝でないのがわかるとほっと肩の力を抜いた。

「久しぶりです」

石丸圭一だった。

「まさか石丸さんが来るとは思わなかった」

退職してからわずか一週間だが、会ってみると懐かしかった。明奈を紹介した。

「もう一人、というよりもこいつがメインなんですけど、源田は、今、駐車場に車を入れています。僕と源田は、高校時代の同級生で、一時期同じ会社にいたこともあるんですよ」

「石丸さんの出張費は、払いませんよ」

久しぶりにあった嬉《うれ》しさから、つい昔の軽口が出た。

「いいですよ。里帰りのついでに来ただけですから」

神保は、鍋《なべ》をかき混ぜながら石丸を窺《うかが》っていたが、汐路たちの様子に安心したのか再び鍋に視線を戻した。

「フィンランド料理というのは初めてだな」

大声を出しながら、迷彩服を着た男が入って来た。大きな道具箱を手にして、ドカドカと靴音も高く、汐路たちのテーブルに近づく。男は、並の身長で小太りだが、体の動きには力強さがあった。

「よろしく、源田です」

さし出された名刺には、「有限会社 源田工務店 副社長・源田航」とあった。

「副社長さんですか」

「社長を含めて社員は、三人しかいないですよ」自嘲《じちょう》するように口を歪《ゆが》める。「全部、家族ですしね。父が社長で家内が監査役。本業は内装なんですけど、自分はスイーパーもやってます」

「スイーパー？」

「盗聴器の除去業者」

明奈の質問に無愛想に答えると、石丸の隣にどさりと座った。

「あのう。取り除いてもらえるんでしょうか」

挨拶《あいさつ》する余裕もなく明奈は、切り出した。

「ど素人が設置したものなら完璧《かんぺき》にね」源田は、また口を歪めた。癖のようだった。「でも、それでいいの？」

「どういうことですか？」

「盗聴器があった場合は必ず除去するけど、もちろん相手は除去されたことを知る。あらかじめ注意しておくが、盗聴器を外された男は二つのパターンをとる。一つは、しゅんとなってあきらめるパターン。もう一つは、より直接的な方法にエスカレートするパターン。除去するのもいいが、相手の行動パターンは、見極めた方がいい」

「もう、すっかりエスカレートしています」

汐路は、図書館前の出来事や、玄関に置かれた小瓶のことを伝えた。撒《ま》かれたビラも見せる。

「うーん。戦争にしちゃったわけだ」

「戦争は、嫌いじゃありません」汐路は、ウエストポーチを見せた。「護身用品はたくさん持ってますから」

源田の目が暗く光った。

互いの自己紹介が終わるのを待っていたのか、神保がメニューを持ってきた。源田は、「俺は弁当にする」と信じられないことを言い、かばんの中から小さな弁当箱を取り出した。石丸が、苦笑いする神保におろおろと言い訳と謝罪をするが、源田は、かまわず蓋《ふた》をあけて、外見に似合わないかわいい弁当を食べ始めた。神保は他の三人の注文をとると、厨房《ちゅうぼう》に戻っていった。

「除去しても新しい盗聴器を入れられるでしょうか？」

「それを阻止するためには、今の鍵《かぎ》を新しいものに替える必要がある」

あっという間に弁当を済ませた源田は、げっぷをしながら答えた。

「鍵はもう替えました」

「一般のメーカー品だろ。相手は工務店に勤めていたことがあるって言ったよな。内装屋には、鍵を開ける特技を持っている奴がいるんだ。工事に入ろうとして開いてないドアが見つかったなんてことは、しょっちゅうでね。オーナーに鍵開けさせるまで待つわけにはいかないから、必然的にそうした特技が必要になる。それに、鍵を開けるのはそれほど難しいことじゃない」

源田は、持ってきた道具箱を開けた。鍵がいっぱい詰まっている。

「この鍵だと、相手がよほど鍵に精通していない限り大丈夫だ。料金だが、伝えた金額のプラス五万で設置しよう。窓用の鍵は、実際に見てみないとわからないが、多分サービスの範囲でなんとかなる」

「盗聴器は、いくつ見つかっても同じ料金ですか」

源田は、にやりと笑いながら「もちろん」と答えた。

「やってください」明奈が、横から話に加わった。「気持ち悪くて部屋にも入れないんです」

「お願いします」

汐路も頭をさげた。

汐路たちは、前とは違った料理のコースを頼んでいたが、こちらも素晴らしいものだった。ラブと言われるザリガニ料理で、源田も石丸の皿から自分の箸《はし》でつまみながら、「うまい。今度、かみさん連れてこよう」と大声で喋《しゃべ》った。

食事後、駐車場に出た。源田たちの乗ってきた大きなフォルクスワーゲンのバンが、神保の小さなミニの側に置いてあった。

離れの側にバンを停めた源田は、「先に入って、何か音楽でもかけていてくれ。それから電気製品は全部スイッチをオンにして、ついでに電話もかけてくれるとありがたい」と、明奈に言った。

「どこに電話するんですか？」

「117でも、なんでも」

石丸は明奈をガードするように先に離れに入った。源田は、バンの後部ドアを開けた。中には、汐路が見たこともない機材が詰め込まれていた。源田は、中に入っていろいろな機械の電源を入れる。

「ちょっと外部のチェックから始める」

離れの部屋から音楽が聞こえてきた。バンの中では、ヘッドフォンをつけた源田が、スイッチを小刻みに入れていた。しばらくして汐路は、ヘッドフォンを渡された。

『ただいま、午後十時一分十五秒をお知らせします。ただいま……』

「本当に117にかけたみたいだな」

源田は馬鹿にしたように喋った。

「すぐにわかるものなんですね」

「ド素人の使う流通品だったから」

源田は、さらに、スイッチを小刻みに押し、何かのメモを取っていた。

「さて、中に入るぞ」

源田は、バンの後部座席にはめ込まれた棚から、テレビのアンテナ、指向性のマイク、トランシーバーのように見える機材をとりだした。テレビのアンテナ状のものは映画のヒーローが機関銃をつり下げるように肩に掛けられた。汐路は、源田と離れに入った。

「石丸。ビデオをまわしてくれ」

石丸は、手にしたデジタルビデオを回し始めた。

「ビデオにとるんですか？」

「戦争やってるんだろ。こっちの武器になるような証拠は、かき集めないと」

源田は、ざっとステレオやラジオの配置に目をやった。

「位置からしてまずは、ここ」

源田は、壁の電源口のカバーを外した。中から、何かの内臓のような電子機器がぞろりと出て来た。

「こいつは、電源口まで来ている配線から電気をもらっているんだ。電池切れが起こらないから、半永久的に盗聴した内容を送信し続ける」

「外していいぞ」

石丸は、ビデオを撮りながら言った。手袋をはめた源田は、盗聴器を外してビニール袋に入れた。

「お次は、こっち」

受話器を軽く振ってからドライバーで分解した。

「こいつは、電池で動作するタイプ」

コンセントで見つけたのより、ずっと小さい盗聴器が現れた。源田が振ったせいで、盗聴器を留めてあったセロテープがはがれかけ、受話器の中で揺れていた。

「ちゃんと留めとけよ」源田は、つまらなそうに呟《つぶや》いた。「なにかに仕掛けられた盗聴器の一番てっとりばやい発見方法は、振ってみるってことだ。きちんと固定しているのはそんなにないから」

明奈があわてて立ち上がってラジカセを振り始める。源田は、トランシーバー状の機械とアンテナ状の機械を交互に使いながら部屋の中をあちこちに移動する。ぬいぐるみの中、椅子の下、テレビの裏、風呂の換気扇の中など、源田が開けた場所には、必ず盗聴器があった。

「問題は、聞きたいときだけスイッチを入れるタイプだが」源田は、部屋をぐるりと見渡した。「一番いい音が拾える場所は……」

キッチンの白熱灯の笠《かさ》を裏返した。笠の上には虫のように盗聴器が張り付いていた。

「ド素人は、最初に仕掛けても、なかなか綺麗《きれい》に音が拾えない。それで、設置しなおしたり増設したりするもんだが、ここに入った奴は最低三回は置き場所を変えてる」

「そんなに」

明奈は泣きそうな顔をした。源田は、アンテナとトランシーバー状の機械を振り回しながら玄関に移動する。その後を明奈たちは、ついていった。

「それにしても単純な奴。あんまり進歩がないな」源田は、玄関の靴箱の裏に仕掛けられた盗聴器をビニール袋にいれた。「安物もいいところだし」

源田はビニール袋を明奈につきだした。

「やめてください」

明奈は、悲鳴をあげて、源田の手を払った。源田は、おおげさに肩をすくめた。

「俺が仕掛けた訳じゃないぜ。まあ気持ちはわかるけど。なんか俺も同じ穴のむじなって感じがしはじめたんだろ」

「すみません」

明奈は小さな声で謝った。

「慣れてる。それより玄関の鍵を取り替えるから、コーヒーでもいれてくれ。さっきの店で飲み損なった」

源田は、靴を履いて玄関の戸を調べ始めた。ケースから新しい鍵を取り出す。汐路たちは、キッチンのテーブルに戻った。

「大丈夫ですか？」

蒼《あお》い顔をしてコーヒーをいれる明奈に石丸は尋ねた。

「盗聴器というのは、気持ち悪いですね。松原にあんなことができるとは思わなかった」

「デジタルな犯罪っていうのは頭がいい者にしかできないと思われているけど、そうじゃないですよ」

「どういうことでしょうか？」

明奈は尋ねた。

「例えば、ここにいる汐路さんだって、ちょっと勉強すれば世間を騒がすくらいのことは簡単にできます」

「私、学生時代から十年近くパソコン触っているけど、できませんよ」

汐路は笑った。

「それは、犯罪方面の勉強してないからですよ。大抵の人は、パソコンを仕事とか趣味とかに使って、そういった方面の知識を増やしていくだけでしょう？　だから犯罪を行う能力が身に付かないんです。でも島さんのレベルなら、一カ月犯罪の勉強すれば、嫌いな企業のデータぐらいふっとばせるぐらいの立派なクラッカーになれますよ。パソコンの素人でも必死に勉強すれば三カ月かな。そのあたり、世間の常識とはズレがあってやっかいなんです。すごい知識がないと出来ない、そんなすごい人は身近にいないから安心だと錯覚してしまう」

「石丸さんは、できるんですか」

汐路は石丸に尋ねた。

「なにをですか？」

「コンピュータ犯罪」

石丸は、テーブルの上に置かれたままの源田のドライバーを手に取った。しばらくそれを手でもてあそぶ。

「今、僕は、島さんの胸を突き刺せるドライバーを手にしています。島さんは『私を殺すんですか？』と、聞かないのですか？」

「石丸さんが私を殺す理由ないですから」

「理由がないから恐《こわ》くない？」石丸は呟《つぶや》いた。「それとも理由がわかっていないから恐くない？」

石丸が何を言っているのか理解できた。彼らしい方法でより厳重な警戒をするように求めている。汐路は、石丸の視線から目をそらした。

明奈が四人分のコーヒーが載った盆をテーブルに載せた。汐路は、カップを手に取った。

「そういえば、私が入社して早々、石丸さんのエネミー・セット・テーブルを自分勝手にいじっていて壊してしまいましたね」

「テーブル？」

明奈が首を傾げた。

「ゲームに出てくる敵の強さや動きを調整するデータのこと。それ壊しちゃったの」

「そんなこともありましたね」

懐かしそうに石丸は、コーヒーを口に含んだ。

もう二年近く前の出来事になるが、その時、石丸は少し悲しそうに微笑みながら、「気にしなくてもいいんですよ」と言ってくれた。当時はわからなかったが、今なら石丸の受けた被害の程度がよくわかる。その後三日間は、データ修復のため、しなくてもいい徹夜をしたはずだった。

汐路は、石丸の持っていたドライバーを手に取った。

「立場が逆なら、私、今、石丸さんを殺しますね」

石丸は爆笑した。

「何かあったのか？」鍵《かぎ》を取り替えた源田が戻ってきた。テーブルの上に取り替えた古い鍵をどさりと置いた。「全部、終わった」

「源田もコーヒーを頂戴《ちょうだい》しろよ」

ああ、と呟いてポケットから請求書を取り出した。

「よろしく」

汐路は、ちらりと金額を確かめてから明奈に回した。

「これも」石丸が、デジタルビデオからテープを取り出した。「これで、警察や裁判所動いてくれるかな？」

源田は腕を組んだ。

「どうかな。ストーカーが問題になっているけど、全ての警察官に危機意識が浸透しているわけじゃない。対応にあたる人次第ってとこだろう」源田は、皮肉な笑いを浮かべた。

「結局、四、五十人殺されないと変わらないだろう」

明奈の顔がさっと蒼くなった。

テーブルの下で、石丸が源田の足を蹴《け》った。

「機材を撤収するから、手伝え」

顔をしかめた源田は、足をさすりながら石丸を引っ張っていった。

汐路と明奈は、テーブルに置かれた盗聴器の山を見つめた。いくつものケーブルがからまっている。死んだ虫に見えた。単なる電子機器とは違う、ひどく嫌な感じを受けた。

石丸たちが戻ってきた。汐路は、腕を組んでいる石丸が急に難しい顔になっているのに驚いた。源田の表情には変わった様子はない。

「これからの作戦を考えたいんだが、ちょっとつきあってくれ」

「いいですけど」

「じゃ、話が長くなるから、トイレに行ってきてくれ」

源田に促されて、全員が車に乗った。

源田のバンは、夜明け前の山の中に入っていく。明奈の運転する車は、バンの後を追いかけた。最初は、高速のインターチェンジに入るのかと思ったが、そのまま山の奥へと入っていく。

「どこに行くのかしら？」

何度目かの明奈の質問だったが、汐路にもわからない。前方に採石場が見えた。

「こんな所に何の用かしら？」

バンは、採石場の中に入った。車から降りた源田は、手振りで汐路たちに車から降りるように促す。

源田が近づいて来た。薄暗い採石場の照明では、彼がどんな表情をしているのかわからないが、何か異様な雰囲気だった。思わず汐路は護身グッズの入ったウエストポーチを握りしめた。

源田は、ゆっくりと汐路の顔を見た。

いつのまにか後ろに回っていた石丸が、明奈の両肩を摑《つか》んだ。その瞬間、源田の顔が遠い照明にもはっきりわかるほど変形した。

「ふざけんじゃねえ」

源田は大声で叫んだ。

「てめえ、男をなめとんのか」

汐路は息をのんだ。源田に肩を摑まれ、はげしくゆすぶられる。膝《ひざ》から力が抜けた。

「ぶっ殺してやろうか」

汐路は、源田に引きずり倒された。助けを呼ぶ声がでない。源田が汐路のベルトを外そうとしている。思わず手が伸びたが、源田に払いのけられ、さらに顔を二発殴られた。汐路は、思わず手で顔をおおった。ベルトのバックルが外れる。汐路は、その音を完全な混乱の中で、遠くに聞いた。

あたりは静かで、明奈のすすり泣く声しかきこえない。

「立ってみろよ」源田が静かに言った。「何もしていないから」

ゆっくりと顔をおおっていた手をどけた。そばに源田が腰をおろしていた。石丸に肩を摑まれた明奈が震えながら立っていた。

汐路は立とうとしたが、体のどこにも力が入らなかった。

「あんた、護身用品で身を守れるってレストランで言ってたな？　俺はウエストポーチに手を出さなかったのに、開けもしなかったのか？」

源田はベルトを差し出した。汐路は、あわててベルトを元に戻した。源田は、ベルト以外には手を出していなかった。

「婦女暴行の被害者に、『なぜ、抵抗をしなかったのか』という馬鹿がいるが、それに対してのご意見は？」源田は、汐路の目を見つめている。「俺は、最初に大声で威嚇した。男女を問わず殆《ほとん》どの者は、それだけで抵抗する力を失う。こうした威力を知っている、もしくは耐えられるのは、職業的に暴力に接する者、暴力を利用する者だけだ。ピストルと同じさ、持ってるのは警官と犯罪者ぐらい……。あんたは、その犯罪者に喧嘩《けんか》売ろうとしてるんだぜ」

源田は、冷静な口調で続ける。

「そして引きずり倒される。連続して二発以上殴られると、全てが終わるまで、たいていは無抵抗だ。男でも女でも……」

「それをわからせるために本当に殴ったんですか」

汐路は源田を睨《にら》み付けた。

「一発も殴っていない。軽く押しただけだよ。恐怖感と驚きがそう思わせる。俺が本気で殴ったら、今、意識があると思う？」

汐路は、頬を触ってみた。痛むところはない。

「護身術やグッズは、使い方によっては有効だが」源田は、汐路のウエストポーチから大音量の警報ベルを取り出した。「これなんかは、さっき俺がやったことの逆だな……。でも、護身グッズに頼って行動しているとろくなことにならない」

「……ひどい教え方ですね」

「普通に暮らす人は、こうした暴力とは無縁だ。実際にやられないと、これだけの状態になるとは理解できない」

汐路は立ち上がった。まだ膝に力が入らず、ふらついたが、源田は手を貸そうともしなかった。汐路は震えている明奈と一緒に車まで戻った。

「すまない。源田がここまでやるとは思わなかった」

石丸は謝ったが、汐路の怒りは消えなかった。ずっと口をつぐんでいた。沈黙に耐えられなくなったのか、明奈が、「どうして、こんなことを知っているんですか？」と源田に尋ねた。

「中学生の時、剣道部に入ったら最初に先輩から同じことをやられたんだ。俺、そのときしょんべんもらして、高校卒業するまで、『モラシ』っていうあだ名で呼ばれてた。名前で呼ぶのは、石丸ぐらいだったな」

家を出る前に、源田が二人をトイレに行かせた訳がわかった。

「おかげで、中学でも高校でもガールフレンドなしだ。俺の六年間を返してほしいよな」

情けなさそうに言った。

東の空が明るくなってきた。

「じゃ、俺たちは帰る。毎度おおきに」

小馬鹿にしたような挨拶《あいさつ》をすると、源田は、まだうろたえている石丸を助手席に乗せ、採石場から出ていった。汐路は、バンの消えた方角をずっと睨み付けたままだった。

「そんなに睨まなくても……」

「源田さんなりに警告してくれたことは感謝している。だけど、そのやり方をどう思うかは私の勝手よ」

汐路は姉の車の助手席に座ると、拳《こぶし》を握りしめた。

九月十一日

愛媛大学は、松山市の中央にある城山の麓《ふもと》にあった。

汐路は、環境工学部の教務課で教えてもらった研究室のドアをノックした。中から、ころころと太った初老の男が出て来た。

「あんた、島さんか」

汐路は、肯《うなず》いた。

「電話の声は低かったから、おばはんかと思おとったら、えらいべっぴんさんが来たなあ。あんた、メグちゃんとはりあえるで」

『メグちゃん』と呼ばれた秘書は、「ご冗談を」と苦笑してお茶をいれ始めた。確かに『べっぴんさん』だった。

研究室の中央に木製の民家の模型があった。縦横一メートル四方の立派なものだった。

「東京に残っている近江敬次郎の建てた家ですね」

この教授が出していた建築写真集に出ていた。

「ええやろ。本まもんの大工にこさえてもろたんや。いっしょに東京に行ってな、何度も二人で調査させてもらいながら完璧《かんぺき》に再現したんや。『カンナいらず、ノミいらず』の敬次郎の技をそのまま再現するんは難儀やったで」

「敬次郎はな、棟梁《とうりょう》になっても一人で木材を切り、カンナ掛けし、ノミでホゾ掘ったりしてたんや。職人の仕事は、それを現場で組み上げるだけやけど、どこもぴったりあって、その場での修正なんかいらんかったらしい。この模型も接着剤なんかどこにもつこうてへん。一千二百万かかったけどな」

建築学のことはわからないが、汐路が学生だった美大の研究室の五年分の予算だ。

「メグちゃんや宮本君が反対せえへんかったら、島邸の模型も作らせたいんやけどなあ」

ちらりと、お茶を運んで来た『メグちゃん』の表情を見る。

「今度買ったら縁を切るって、宮本助教授、言ってますよね」と、微笑みながらお茶を汐路の前に置いた。

「島邸って、早瀬のですか？」

「あんた早瀬のをしっとるんか？　そう言えばあんた島さんゆうとったな」

「はい。島の家の娘です」

「なんや。そうやったんか。一度、調査に行ったときに幼稚園のお嬢ちゃんがおったけど、あんたやったか。べっぴんのお姉さんに何度か案内してもろたけど。今でも早瀬に？」

汐路は、肯いた。

「そうか。うらやましいなあ。あんな家にずっと住めて」

「結構、不便です。特に年寄りになるとみんな離れに住むんです。私も姉も今は離れに住んでいます」

　小田は、ため息をついた。

「それで、確か今日は敬次郎の話やったな。敬次郎のこと聞きにくるお客さんは珍しいな。敬次郎は、なかなか研究の対象と認められへんのや。あんまり古すぎへんしな。明治というとみんな西洋建築の影響なんか調べたがる。そやけど、江戸時代のいろんな規則が無くなって庶民が自由な形態で家を建てられるようになった面白い時期なんやけどなあ」

「家の形態に規制があったんですか？」

「あったんやな。武士には武士の家、農民には農民の家というふうにな。今でも庶民の家は杉を使う場合が多いやろ。これなんかは江戸時代の規制の名残やな。地域的な気象条件によっては、別の材をつこうた方がええ場合もあるんやけど。戦後の行政も加わって、日本の人工林は杉、檜《ひのき》ばっかりや」

「じゃあ、花粉症の責任は、江戸幕府にとってもらわないと」

　つまらない汐路の冗談に、小田は、のけぞって笑った。

「そうかもしれんな。その点、敬次郎は材の使い方や家の形態を大胆に改革しとるんや。あんたは、住んでみてどう思た？」

「私には、わからないですけど、桜材の床は素敵でした」

　小田は振り返って、秘書に言った。

「メグちゃん、聞いたか。この嬢ちゃん、ちゃんと材が見分けられるらしい。うちの学生は、杉と桜の区別もつかへんのに……。学生に最近は桜がないというたら、城山や奥道後《おくどうご》にいっぱいあります、なんていいよった。そりゃソメイヨシノや」

「建材に使うのは山桜ですね」

「ほう」と、小田は目を丸くした。「うちのアホ学生とは、えらい違いやな」

「でも、もう広葉樹の材は、手に入りにくいですから」

秘書は、笑いながら小田の茶碗《ちゃわん》に茶をつぎ足した。

「そうやな。それにしても敬次郎の家は、床にええ桜つこうとるな。あんな家は、もうできへんなあ」うっとりするように小田は、宙を見た。「桜材を油で何度も拭《ふ》いて、丁寧に乾かしとる。他ではあんまり見いへんなあ。桂離宮の杉の一枚板なんかは、もう日本じゃとれへん言うけど、敬次郎の桜板かて、もう再現できへん。敬次郎が造った家の殆どは、東京にあったんやけど、空襲やら関東大震災やらで、日本中にもう六軒しか残っとらんのや。そのうち早瀬には四軒もある。大事にして欲しいな」

「四軒？　五軒では？」

「多分、西屋敷も数に入れとるやろ。そやけど、あれは敬次郎の作やない」

「えっ？」

初耳だった。

「建ったんは、殆ど同時期やけど、あれは敬次郎の出来の悪いコピーや」

「調査したんですか」

「玄関続きに広い土間があるんやけど、そこの天井一目見てわかったがな。敬次郎の造った家の天井は、部屋の広さに応じて天井をまくる率を変えとるんやが、あの家にはそんな細かな神経が行き届いとらん」

「天井をまくる?」

「天井は平らにつくると垂れ下がっているように見えるんや。そこで天井を上に向かって湾曲するようにつくると水平に見える。部屋の広さによって敬次郎は微妙に湾曲の率を変えて、住む人が圧迫感を感じないような造りにしたんや。西屋敷の天井の湾曲は強すぎる。これは、敬次郎の形だけ真似た職人がやったんやろな。使おとる材や細工は、あんたとこ以上やけど」

「西の者に言ったんですか?」

「家中えらい自慢しよったから、言われへん。冷静そうな息子さんにこっそり伝えたけど……。まともな調査もせずに退散したわ」

出来の悪いコピー。なんとなく汐路は、西屋敷で感じた違和感がわかったような気がした。

「で、ワシばっかり話しとるけど、お嬢ちゃん何か聞きたいことあって来たんやろ?」

「近江敬次郎本人について聞きたいんです。生い立ちとか……」

小田は、ぼりぼりと頭を掻《か》いた。

「うーん。ワシは、敬次郎の建てた家についてはよう知っとるつもりやけど、本人はなあ。

資料が殆《ほとん》どないんや。実際、生年も没年もわかっとらん」

「生まれた年がわからないのはよくありますが、死んだ年もわからないんですか？」

「敬次郎は、当時の江戸で生まれ育ったらしいんやけど、奥さんに死なれた後、隠居して、早瀬に移り住んだんや。早瀬で四軒の家を建てた後、突然姿を消して、それっきりや。そやから没年もわからん」

「なぜ、早瀬に来たんでしょう。何もないところなのに」

「さあなあ。縁者でもおったか、招かれたか……。そこのあたりは、わからんな」小田は、

茶を飲み干した。「子孫がまだ東京に居るから聞いてみたらどうや」

「いるんですか？」

「今は工務店をやっとるらしいな」小田は名刺入れを開いた。「これやな。江戸の初期か

ら続いとる店らしい」

汐路は名刺にある住所をメモにとった。

「代々が大工さんだから、敬次郎のような名人が生まれたのでしょうね」

小田は少し首を傾げた。

「そうかな。敬次郎は養子やと聞いたで。それに敬次郎は、宮大工の出やないかと思いは

じめとるんや」

「宮大工？」

「庶民の家を造るのが町大工。神社や仏閣をつくるんが宮大工や」小田は急須から自分の

茶碗に茶を注いだ。「これは想像やけどな、敬次郎は町大工の名棟梁《とうりょう》やけど、出身は宮大工やないかゆう気がするんや。敬次郎の作には、宮大工のセンスみたいなもんが感じられる。この模型をこさえたんは元宮大工やけど、そいつも同じ考えやった。毎日模型ながめとると、敬次郎の大胆さは、二つの大工の世界を知っているからやないかゆう気がしてきたんや。当時、町大工の技術は完成しとって、マニュアル本みたいなものまであった。あの時代の建築は、今の工業規格並にサイズが揃うとる。けど、宮大工は、個人の裁量がかなり残る世界やったんや。そのあたりは、技術者の人間国宝、松浦昭次という宮大工が言うとる。人間の錯覚のメカニズムを熟知しとった昔の宮大工は、水平、垂直、等間隔という考え方にすらとらわれずに神社、仏閣を建てたのではないか、いうてな。興味があったら『宮大工千年の知恵』という名著があるから、読んでみ」

「敬次郎が宮大工のセンスを持つというのは珍しいことなんですか？」

「当たり前や。末期とはいえ、江戸時代には、町大工は町大工、宮大工は宮大工で、全然別の職業や。人的にも技術的にも交流なんか全然ない。使う道具も全然違う。有名なんは宮大工の使う槍《やり》カンナやけど、町大工では、絶対使いこなせへん」

「槍カンナ？」

「名前の通り、槍みたいなカンナや」

「敬次郎は宮大工の出身ではないかと敬次郎の子孫に聞いてみたんですか？」

「鼻で笑われた。うちは代々由緒正しい江戸の町大工や、ゆうてな」

「誇り高いですね」

「そうやな。今は、落語や時代劇の影響で町大工ゆうたら庶民の代表やったみたいに思うとるけど、実際は、江戸の町人の中ではトップに立つ技術エリートやったんや。めったなことではなれへん。棟梁とはいわず一般の職人でも、今でいうたら東京大学工学部修士課程卒業の一級建築士ぐらいのステータスがあったんや」

汐路は驚いた。

「確か、あんたんとこの父上も大工やったな。二、三度しか会《お》うてへんけど、ええ腕しとった」

汐路は薄く笑い、小田に礼を言ってから、研究室を辞した。大学の駐車場で車に乗った汐路は、メモにある敬次郎の子孫に電話し、翌夕訪問のアポイントメントをとった。

「また、千キロのドライブ……」

汐路は、少し気分が楽になった。僅《わず》か一週間だったが、早瀬での生活は、ひどいストレスになっていた。汐路は早瀬には戻らず、松山から今治に向かい、しまなみ海道と呼ばれている瀬戸内海にかかる連絡橋を抜けた。

カプチーノを走らせていると、今までのことが次々と頭に浮かんだ。

同僚の死、早瀬の異常な殺人の発生率、早瀬への帰還、西英子との再会、松原の出現、村上祥一郎との出会い、ケイジロウのメール、源田と石丸の訪問、小田教授……。脈絡なしに、次々に浮かぶ。これが、約二週間の間に起こっていた。事件と情報だけが積み重なっていくが、何もかもがバラバラだった。汐路は中国自動車道を駈《か》けながら、何とか整理しようとした。だが、集中できなかった。『松山空港のパニック』『携帯電話殺人』と、今度の事件には関係のないものも頭に浮かんでくる。はては、村上祥一郎に聞いた『這いずり』や『キスケ』のイメージまでが頭の中でグルグルと回り、汐路は考えるのを止めた。

九月十二日

サービスエリアで仮眠をとりながら走ったため、東京に着いたときには、もう日が暮れていた。

有限会社近江工務店は、下町の雰囲気の残る本所《ほんじょ》の通りにあった。中に入ろうとすると、すれちがいに子供がかけ出していった。どうやら子供はこれから、塾にでも行くようだった。

「車に気をつけて」母親らしい女の大声が聞こえる。

女は汐路に気づき、にっこり笑うと「ひいじいちゃん。お客さん」と奥に声をかけた。大きな声は地声らしい。中から人のよさそうなかなりの老人が出て来た。ひょっとして百歳近いのではないかと思われた。

「いえ。客じゃなくて、実は私、近江敬次郎さんのことを知りたくて……」

「ああ。電話の人か」

汐路は、奥の作業場に案内された。数人の職人が、ノミやカンナの刃を研いでいた。

「敬次郎の話を聞きたいって来るのは三人目だな」

「一人は、愛媛大学の小田教授ですか？」

「知っとるんか。それならいっぺんに来て欲しいな。あと一人は、背の高い男やった」

「まさか、石丸圭一？」

「そんな名前じゃないな。えらい昔の事で名前は忘れたが」

汐路は、なぜか少しがっかりした。

「敬次郎さんの生い立ちとか知りたいんですけど」

「さあ。あんまり喋《しゃべ》る人じゃなかったな。ワシが七歳の時に早瀬に行ったきりになったし」

その時、店の方で「おとうちゃんおかえり」という声がした。

店の方を見ると、中年の男が、「暑くてかなわん」と言いながら、嬉《うれ》しそうに女の入れた麦茶をひといきで飲み干していた。空いたコップに麦茶が注ぎ足された。男は、これも一口で飲み干し、「次行ってくる」と出ていった。

「随分、繁盛されているようですね」

「大工の孫が建築家になんぞなりおって……。東大の工学部になんか入れるんじゃなかった」

言葉とは裏腹に老人はなかなか嬉しそうだった。小田教授の言葉を信じるなら、さっきの男は、単に元のステータスに戻っただけかもしれない。

「では、大工はお爺《じい》さんの代で」

「工務店の方は、孫娘の婿が継いどる。近江敬次郎も養子だったからな」

顎《あご》をしゃくった先に実直そうな男が黙々とノミを振るっていた。

「敬次郎さんは、養子だったんですか」

「そう。どこかのお武家さんの使用人だったらしいが、そこを飛び出して家に来たそうな。そのまま見習いになって、ばあさんの婿になったことぐらいしかわからん。爺さんがおらんようになった時、ワシは、まだほんの子供だったから、あまり覚えてないんじゃ」

それでも懐かしそうに目をしばたかせた。

「なぜ、敬次郎さんは、早瀬に移ったんでしょう」

「さてなあ。ばあさんが死んで、なんか気落ちしたんか、家業をワシの親父に継がせて、早瀬に行ってしもうた。親父が何遍も呼び戻そうとしたがなあ」

今でも寂しそうだった。こうしてみると敬次郎は家族に慕われていたのだろう。ならば、なぜ晩年を早瀬で過ごしたのか、あらためてわからなくなった。それに近江工務店の人や老人は、先祖代々、江戸の町大工と聞いていたが、言葉に微かに西日本のアクセントがあるのが気になる。

「ちょっと出ると行ったきり戻って来ん。親父やお袋があわてて早瀬にいったら向こうで屋敷つくっとった。まあ、屋敷つくっとんなら、ええかと親父らは帰ったけど、ある時からぷつりと手紙も来なくなって、こっちから出した手紙も戻ってくるしで大騒ぎになった。若い衆まで駆り出して何遍も早瀬に行って……。ワシも、いっぺん、親に連れられて早瀬に行った。それでも見つからんで、七年ほどして、葬式出したけど」

作業場の奥に仏間が見えた。物故者の写真が飾ってある。

「敬次郎さんの写真はないのですか？」

「空襲で焼けてしもうた」

「特徴みたいなものはないですか」

老人は考え込んだ。

「一緒に風呂《ふろ》に入ったけど、胸にひどい傷があった。大工道具でついた傷と言っとったが、あれは、大工道具ではつかん傷だな。刀傷じゃないかな」

汐路は、頭が、ぐるぐるまわった。

「槍カンナでついた傷では？」

「槍カンナ？　ああ、宮大工の使うあれか。まあ、槍カンナならあんな傷になるかもなあ」

……敬次郎の幼い時の名前は、鶴太だ。一家心中の生き残り……

年齢的にもぴったりとあった。敬次郎の胸の傷は、早瀬で宮大工の喜助が無理心中を図った時に槍カンナで付けられたものかもしれない。

……じゃ、なぜ、早瀬に戻って来たのだろう。その年になると、酷《ひど》い思い出のある故郷でも恋しくなるのだろうか……

ぼんやりと向けた視線の先に透明のホースがあった。嫌なことを思い出してしまった。おかしくなった父親が透明のホースを家にくくりつけ、中に水を張る記憶……。

「ホースがなにか？」

老人が尋ねた。

「いえ、何でもないです。透明のホースなんか何に使うのかなと思って」

「ああ、大工がおおざっぱに水平をとるときに使うんだよ。中に水をいれてな」

目をみひらいた汐路に気がつかないのか老人は、ホースを手に取った。

「たるませたホースの中に水をいれると水が中にたまるじゃろ。そのたまった水の二カ所の水面を結ぶ線は、水平になる。普通は、杭《くい》をうって糸をはり水平器をあてるが、急いでいる場合には便利じゃな」

「父が、同じ事をやっていました」

「親父さんは大工じゃったんか」

「はい」

汐路は、礼もそこそこに工務店を飛び出すと、カプチーノに飛び乗った。汐路はハンドルを握りしめた。

……お父さんは、おかしくなった頭で行動したけど、それには何か理由がある……床に撒《ま》かれたビー玉、張り巡らされたホース……水平を調べていた？……なぜ？……

混乱する頭で運転し、高速に入った。

……西屋敷の改修……近江敬次郎の出来損ないのコピー……山菜採りでお母さんを……カプチーノは神奈川県に入った。汐路はちらりと時計に目をやり、運転しながら備え付けの懐中電灯を手に取った。スイッチを入れてみるが、電球が切れているのか電池が駄目になったのか、明かりはつかない。

汐路はサービスエリアに滑り込み、車を降りると売店に走った。途中にあったゴミ箱に懐中電灯を捨て、新しい懐中電灯を買った。

汐路は再びハンドルを握った。早瀬に向けて車を走らせる。途中で休憩するつもりはなかった。

九月十三日

夜明け前に早瀬についた。

汐路は山道を登る。月明かりもなく、蒸し暑い山道を懐中電灯の明かりだけで登っていった。山道は昔のままだったが、現場は思っていたより近かった。汐路は、どうしても両親の落ちた谷を確認したかった。

あの時は、ちょうど懐中電灯の光が消えるあたりに両親が歩いていた。

……隣には、松原のおじさんが……

道の角を曲がって見えなくなってから、お父さんの怒号、お母さんの悲鳴。駆けだす松原のおじさん、私……

汐路は懐中電灯を手に、当時と同じように駆けた。汗が噴きだした。道の角がどんどん近づいてくる。汐路は角を曲がった。

誰もいない。

汐路は、ゆっくり道の端に近づく。

あのときは、松原銀次が山道の脇で、崖《がけ》から下を呆然《ぼうぜん》と覗き込んでいた。

……あぶないから腹這《はらば》いになって……

松原のおじさんの声。

汐路は、ゆっくりと腹這いになり懐中電灯で下を照らした。はるか下の岩が懐中電灯の光をぼんやりと反射する。両親が横たわっていた岩が見えた。

汐路は顔を伏せた。

長い間、そのままだった。

やがてのろのろと立ち上がる。胸に泥が一杯ついていた。ため息をついてその土を払う。冷たい泥だった。胸一杯に水の染みた跡が残った。

懐中電灯で汐路が伏せていたあたりを照らして見る。さっきまでは夢中で気がつかなかったが、ずいぶん水気を含んだ土だった。

「えっ？」

汐路の目は、大きく見開かれた。今まで伏せていたあたりをじっと見た。

長い時間が過ぎた。懐中電灯の光が弱くなった。今まで気がつかなかった虫の鳴き声が聞こえる。

「そうだったの……」

汐路は、自分の間違いを知った。

九月十四日

「あの時のこと覚えている」

「あの時……」

「そう私の両親が崖から落とされた時」

明らかな動揺が、老人の顔に浮かんだ。

「あれは……事故……」

老人……松原銀次……は、もごもごと口をうごかした。

松原は、汐路の呼び出しを受けて島屋敷の納屋に来ていた。

「違うでしょ？」

汐路は、にっこりと微笑んだ。

「私の両親が落とされた時に、あなたは私を崖まで引っ張っていって下を見させたのよね」

「はあ、落ちたのがお嬢様のご両親かどうか確認に」

「まさか。母は、いつも大きな帽子をかぶっていたし、父は、青い作業着の上下。状況から して私の両親以外、誰だっていうの？　両親の確認？　二人から血の輪が広がっていくのを見せられて、どんな思いをしたと思ってるの？」

松原銀次は目を伏せた。

「今まで、そんなことをさせたのは、あなたが無神経なせいとばかり思っていた」

「申し訳ないことで」

命が消えかかっているような小さな声だった。

「ううん。いいの。あなたが誰かをかばおうとしているのは、わかっているから」

「えっ？」

「最初にあなたは両親が落とされた場所に行ったよね。そして、誰が二人を落としたのかすぐにわかったんだ」

松原ははげしくかぶりを振った。

「でも、私はずっとお嬢さんのそばにいたでしょう。誰が落としたのかなんて」

「いいえ。あなたにはわかったの。だから、私に腹這いになって確認させたんだ」汐路は、大きく息を吸った。「証拠を消したかったんでしょ、足跡の。まさか、私が見てる前で足跡を消すわけには、いかない。だから二人で腹這いになった。犯人の足跡の上に」

「誰かも知れない犯人をかばうなんて」

「ううん。一目でわかったのよね。山菜採りにはみんな長靴を履いて行ったわ。農協が一括購入したやつ。でも私たちの知っている人で農協の長靴を履かない人が二人だけいる。私の母と西屋敷の優司さん」

震えながら老人は黙り込んだ。その沈黙が何より雄弁に犯人が誰なのかを示していた。

「優司さんは、いつもキャラバンシューズを履いていた……。とても素敵なキャラバンシューズ」

老人は、がくがくと震えていた。

「私も注意力があればわかったんだけど、母親の悲鳴に動転してた。母が父の手を摑んでいたのは、父に突き落とされそうになって手を摑んだんじゃない、優司さんに突き落とされそうになった父を助けようとしたんだ」

汐路は顔を伏せた。

「あなたが優司さんをかばうのはわかる。主筋だものね。でもなぜ優司さんは、父さんたちを落としたの」

老人は口をつぐんだままだった。

「もういい。このことは、早瀬の人に公開する。噂だけで早瀬は住めなくなる所よ。あなたたちが住むところは早瀬にはなくなる。私がそうする」

口調は静かだったが、汐路は激怒していた。この男のせいで、長い間、汐路は父親を恨み、母親を疑っていたのだ。

長い沈黙の後、やっと老人は話し始めた。

「……あの時、優司様は都会に行って、ある宗教団体に入信されたんです。それで資金集めに戻ってこられて……」

老人は、宗教団体の名を言った。いろいろな問題を起こした、そして今も起こし続けている宗教団体の名だった。

「優司様は、ありもしない投機話で何人もから金を巻き上げたんです。それを汐路様のお父上に暴かれて……。だまされた者の中には、お父上の元小作の者もいて……。それで何とか解決しようと……」

戦後、島屋敷に小作などはいない。公務員でもないし町議ですらない父親が関わりになる必要など全くなかったが、昔から続く義務感から何とかしようとしたのだろう。

「あの日は、内密に事を納めようとお父上が優司さんを東京から呼びだしていたんです」

「大工の父に、よくそんな投機話の嘘がわかったね」

「はあ。お父上は、西屋敷にまともな奴が育つわけがないと最初から目を付けていらしたようでした」

汐路は、肩を落とした。父親も昔からのライバル意識と無縁ではいられなかったらしい。母親としては、夫と甥《おい》の争いの間で苦しい立場にいたのかもしれない。それで、言い争いになったのだろう。

それにしても死ぬ直前の父親の奇行の理由はわからなかった。

「優司さんは、どうしたの？」

「優司様は、西屋敷の旦那《だんな》様に殺されました」

松原は、観念したように呟《つぶや》いた。

「旦那様というのは、西屋敷のおじさん？」

松原は頷《うなず》いた。

「わしは、怖くなって西屋敷の旦那様に相談したんです。そしたら、夜になって旦那様から西屋敷に来いって電話があって……行ったら、土間に優司様の死体が転がっていて」

松原は、顔面蒼白《そうはく》だった。

「どうやって殺したの？」

「さあ……頭から血を流していましたが……。それで、旦那様と二人で死体を優司様の車にのせて、御敷沼に車ごと沈めたです」

「英子さんは、知っているの？」

「多分知らないと思います。英子さんは、大学に行かれていましたから」

汐路は、深いため息をついた。

「もういい。誰にも喋《しゃべ》らないであげる。そのかわり」汐路は、きっと松原を見た。「あんたの息子を姉につきまとわせないでくれる？　あと一回でも松原孝が姉につきまとったら全部ぶちまける。もうとっくに時効だけど、あなたの一家は早瀬にはいられなくなるよ」

銀次は震え上がった。

早瀬で怖いのは、国でも法でもない。内輪の評判や圧力の方が怖い。小学生が先生の罰よりも仲間からの無視やいじめを怖がるのと同じだった。事を公にして一家を早瀬から追い出してもよかったが、それだとなにも知らない西英子に立ち直れないぐらいの衝撃を与えることになる。それは避けたかった。

汐路は続けた。

「それから、私の口封じなんかは考えないで。今までのことは、私の友人に知らせているの。もし、私に手を出したら今度は時効じゃないよ」

小心な男がそんなことはしないだろうと思ったが、万一のことも考えて一日がかりで事のあらましを記録しておいた。昨夜は、その文書を誰に送ろうかと迷った。フィリフィョンカの神保に送ろうかとも考えたが、彼が正義感からどんな行動に出るかわからない。結局、いつまでも頼るのは申し訳なかったが、ある程度の事情を知る石丸に送った。

汐路は、松原銀次を納屋から追い出した。そのまま車に乗り、小学校まで走らせた。小学校の正面には、最近出来たのか真新しい本屋がある。その隣に、立っているのが不思議なほど朽ちかけた駄菓子屋があった。

昔、汐路の同級生は、よくこの店を利用し、十円単位の買い物をしていた。汐路は、あまり駄菓子屋に出入りする方ではなかった。両親が子供の買い食いに否定的だったせいもあるし、ここの女主人の強欲ぶりが子供心に不快だったせいもある。

汐路は、小学生が帰宅した時間になっても開いている店の軒をくぐった。

「あらまあ、島屋敷の娘御」

奥にちょこんと座っている老婆が目を丸くした。汐路が小学生の時にも十分老人だったが、さらに老けていた。裸電球の下で、歯のない口をもぐもぐさせている。

汐路は棚を見た。ビニールの袋に入った、一メートルほどの貧相なプラスティック製の釣り竿《ざお》があった。中には、数メートルほどの釣り糸と小さな釣り針が入っている。汐路は釣り竿を棚から取り出すと、追加の釣り糸と磁石を手に取った。

「娘御は、磁石で魚を釣りなさるか」

老婆から、昔の強欲ぶりは感じられなかった。強欲でなくてはならない理由がなくなったのかもしれない。

「釣れないかな？」

汐路は微笑んだ。

「釣れんわなあ」

老店主は、皺《しわ》だらけの顔を歪《ゆが》めておもしろそうに笑った。

釣りの道具を助手席に放り込んだ汐路は、車を御敷沼に走らせた。

銀次から聞いた場所から下を覗《のぞ》き込むと十メートルほどの崖の下に藻に覆われた水面が

見えた。汐路は、釣り糸に磁石をつけて、垂らしてみた。

何度か試した後、微《かす》かに磁石本来の重さとは違った手応えを感じた。なにかの鉄が引き寄せているのだろう。磁石を落とす場所を変え、沼の中の鉄は、かなり大きいものだということを確認した。

「二十年たっても車は完全には崩れないんだ……」

釣り糸を引き上げた。先端の磁石には汚泥と水草がからみついていた。汐路は、釣り竿を沼に投げ込んだ。細いプラスティックの釣り竿は、磁石の重さに負けて沼の底に沈んでいった。

「あげる」汐路は冷たく呟いた。「骨だけの手で摑《つか》めればだけど」

家に帰り、姉と遅い夕食をとった。

「今日は何かあった？」

「別に」

汐路は、そっけなく答えた。今のところ、姉に真相を伝える気はなかった。ただでさえ神経質になっている姉に衝撃を与えたくない。

それに、まだ何もわかっていない。

父親の奇行の理由。ネットワークに棲《す》むケイジロウ。

九月十九日

一週間ほどが過ぎた。

松原銀次に息子のストーカー行為を止めるように言ってから、松原孝は明奈につきまとっていない。それどころか、ここ二、三日は、町役場を無断欠勤しているようだった。

……傷心旅行ってわけ?……

汐路は鼻で笑った。

しかし、ケイジロウの事や、父親の奇行の理由は、まだわからないままだった。完全に行き詰まっていた。

ふと、愛媛大学の小太りの教授を思いだした。近江敬次郎は宮大工の息子だったらしいと報告しておこうと、電話をかけた。電話の向こうから、関西弁が聞こえてきた。

『そやったか。思たとおり宮大工の血をひいとったんやなあ。それでも八歳かそこらで宮大工の基本的なセンスみたいなもんを身につけたんは、やっぱ天才やったからやろなあ。それとも喜助とかいう父親がうまいこと仕込んだんだか……』

百年以上も前の少年の境遇に思いを馳《は》せているのか、教授は、しんみりとしていた。

『それが今になっていろいろわかるとはなあ……。そや、この前来た奴に教えたろ』

「この前来た奴？」

『敬次郎を再評価したいゆう奴が来たんや。わしの地道な研究のおかげやな』

汐路は電話口で微笑んだ。

「ええ、是非、伝えて上げてください。先生の買い物に文句を言わない良いお弟子さんになるかもしれませんし」

電話の向こうから爆笑が聞こえた。

『それがあかんのや、そいつもあんたと同じ美術系や。石丸ゆうとったけど、知らんわな』

「石丸？」汐路は、眉《まゆ》をひそめた。「石丸圭一ですか？」

『なんや知り合いか？　世間は狭いな』

「いつ来たんですか？」

『さあ、一週間ほど前やったかな。東京の近江工務店の紹介とか言うとったが……』

一週間前と言えば、汐路が今までの出来事をメールで送ったあたりだ。それだと石丸は、直ちに近江工務店と愛媛大学を訪れていることになる。石丸からは、メールを受け取った旨の連絡しか届いていない。

「石丸とはどのような話をされたんですか？」

『あんたにしたような話やな。ああ、それから建築物の錯覚についてえらい知りたがっとったなあ』

「錯覚？」

『覚えとるか、わざと平面にしてない天井の話。石丸とかいう男は、この話にえらい興味があるみたいでな。いろいろと聞いていきよった』

「他にも例があるんですか？」

『ぎょうさんあるで。平行であるべき線をわざと狂わせて奥行きがあるように見せるんは造園や建築でよく使われるテクニックの一つや。古くは桂離宮や、ええと……なんてゆうたかなエレキテルこさえた人』

教授は、側にいる誰かに尋ねているようだ。

『平賀源内ですか』というかわいらしい声が聞こえた。この前あった秘書らしい。

『そやそや、その平賀源内の芝居小屋とかな』

「そんなに使われているんですか。私たちは、知らない間にずいぶん大工さんにだまされているんですね」

『まさか、そんなことはあらへん。最近の住宅なんかは完全に規格化されとるし、昔の建築物かて、使うとんは、せいぜい一ヵ所か二ヵ所や。あくまで破格のテクニックやからな。天才の敬次郎ですら二、三ヵ所以上は使うとらんよ』

「建物全部に使ったらどうなります？」

汐路は、ふと質問した。

受話器から高笑いが聞こえてきた。

『石丸ゆう男と同じ質問するんやな。美術系はみんなそうか？　まあ、頭の中でこうあるべきやというのと実際が微妙にずれとるんやからストレス感じるやろな。ワザと傾いているように見える建築や、頭でっかちの建物は、最初は目をひくんや。例えば、つぶれてしまった何とか言う銀行の本社ビルとか……。そやけど、やっぱ、見る人には不安なんやろな、いつも傍を通る人は、無意識に目をそらしよる。見ただけでわかるくらい変な建物ですらそうなんや、微妙な差となると目をそらすこともできん』

「そんな家に住んだらどうなりますか」

『そんなんわからん。そないなおとろしい人体実験はできへんしな』

「そんなに恐ろしいんですか」

『そらそや、家の力を馬鹿にしたらあかん。ここだけの話やけどな、昔、テレビの特集で、自宅から失踪《しっそう》した人の捜索番組を見とったんや。その時に家の見取り図も紹介されたんやけど、妙な間取りや無理な増築の家が多かったな。まあ気のせいかもしれんけど』

なぜか汐路の背中に寒気が走った。礼を言ってから電話を切った。

再び通話ボタンを押して、近江工務店に電話をかけた。

『ああ、この前のお嬢さんか。……来たよ石丸さんとかいう人』

「石丸は何を尋ねていましたか？」

『そうさなあ。じいさんが養子に来る前に奉公していたお武家さんのことを知りたがっていたな。赤坂に住む田中なんとかいうお武家さんと答えたが、はっきりせんでな。石丸さんは、そこからは自分で調べる言うておったな』

汐路は混乱した。石丸が何をしようとしているのか、わからなかった。

直接、ネットワ・テック社に電話をかけた。

オーストラリアに行っていた絵描き屋が電話に出た。

『ええ、『死の街』は順調ですよ。品証も殆《ほとん》どバグ出せなかったし。……石丸さん？　長期休暇とってますよ。もう一週間になりますけど。連絡先は聞いてません。まあ、後はバグ修正だけだからディレクターいりませんけどね』

汐路は礼を言って、部長に電話を回してくれるように頼んだ。

聞き慣れた声が聞こえた。

『おお、島か。元気でやっているか。えっ？　暗証番号が知りたい？』

ネットワ・テック社の社員の持つ社員証には、セキュリティドアを開ける機能の他に、常時変更される暗証番号を表示する機能がある。社員は、どこの回線からでも、この暗証番号と社員番号を入力するだけで会社のネットワークに入ることができる。一時的に暗証番号を盗まれても十分後には、その暗証番号は使えない仕組みになっていた。

「すみません。私のバックアップを見たいんです。退社するときにコピーし忘れて……」

部長が机から何かを取り出す音がした。

多分、汐路が返却した社員証だ。

『今月中は、まだ社員登録されているから入れるけど、来月からは登録は外されるぞ。そうなるともう入れないからな』念を押してから汐路の現在の暗証番号を教えてくれた。

「了解しました。すみません」

『機密情報は、盗むなよ』

部長は笑いながら応《こた》えた。もし、汐路が何かの情報を盗む気ならば、社を出る前に盗むはずだと、安心しきっていた。

汐路は、自分の名前とパスワードをパソコンに入力した。ネットワ・テック社のサーバーに繋《つな》がった。もちろん、石丸のパスワードは知らないので、石丸の端末にはアクセスできない。汐路は、制作部共同のフォルダを開いた。そこには、部員たちが自分の端末のバックアップに使う領域があった。週に一度、その中のデータを部全体で保存することになっている。

汐路は中を覗《のぞ》いた。石丸がバックアップ用にコピーしたフォルダがあった。その中のファイルをざっと眺めた。几帳面《きちょうめん》な性格なのか、仕事と個人のファイルをきちんと分けてある。その中に『私物』と書かれたファイルがあった。中を見ると、汐路が送った早瀬の報告書とホームページのリスト集があった。リスト集の方を汐路のノートパソコンにコピーした。

汐路は、ファイルを開いてみた。石丸は、ホームページのURLをテーマ毎に編集し、それぞれにコメントを入れていた。

その中に『早瀬』とタイトルを付けられたものがあった。汐路は、リストのコメントを見た。

『早瀬町の案内』

『電波系』

『砕石機』

『早瀬』とタイトルが付けられたものの中に、『電波系』とか、『砕石機』とかで分類されるホームページがあったが、その理由がわからない。

試しに、『電波系』で分類されたホームページを覗《のぞ》いてみた。直接、掲示板のページに飛んだ。中で、いろいろな人たちが、意見を書き込んでいる。

『虫歯の治療で歯に金属をかぶせたんですけど、それから他人の携帯の会話が聞こえてきます。金属はこのままにしておいて良いのでしょうか』とか、『最近、パソコンから電波が漏れています。パソコンは、私が文字を打つ前に打つべき文字を頭に送ってきます』とか、『私の前世は、昔、月に文明があった時代の戦士です。名前をエシールと言います。共に戦ったミール伯爵、ネール姫は、地球に転生していませんか』とか、頭が痛くなるような書き込みがしてある。

次に、『砕石機』というコメントでまとめられたホームページを見てみた。真っ先に、早瀬町のホームページが出てきた。町を走る中央構造線について説明したページだ。砕石場を上から見た航空写真が載っている。続くリストに出てくるのは、砕石機を作るメーカーの作ったホームページだった。いろいろな砕石機が紹介されている。

汐路は、混乱した。

……石丸さん、私の知らないところで何をやってるの?……

石丸が何を考えて、何を調査しているのか全然わからなかった。

汐路は、源田工務店にも電話をかけてみた。社長と名乗る男が出てきた。源田の言っていた父親だろう。彼は、『息子は、ここ一週間ほど休暇をとっておりますが』と答えた。

汐路は、源田の携帯に電話した。何度かけても、『繋がりません。携帯が利用できない範囲か、電源が切られています』というメッセージしか、聞こえてこなかった。

九月二十日

汐路は、図書館の返却カウンターで西英子と出くわした。

優司が両親を殺害したことを知ってから初めてだった。兄が殺人犯であることも自宅のすぐそばの沼に沈んでいることも英子は知らないのだと思うと、汐路はいらだった。

「こんにちは」

汐路は、努めて冷静に声をかけた。カウンター内で明奈は、十冊近い返却の本を受けとっている。十冊は貸し出し限度の数だった。

「こんばんは」

皮肉っぽく短い挨拶《あいさつ》の後で英子は、さっさと書架に向かった。

「どうしたの？　何かぎすぎすしているみたい」

明奈は不審そうな目で汐路を見た。感情を抑えたつもりだったが、表に出たようだった。

「別になにも。でも、随分な読書家ね」

明奈は、自動返却装置に英子から返された本を次々に置いた。書籍に貼られたバーコードは光学的に読みとられ、貸し出し管理のデータベースに書き込まれていく。いちいち書名を確認してパソコンに入力する必要はない。

「英子さん、日曜日には必ず来るわね。部活をやっている間は図書館にこれないから、日曜日にまとめて借りていくの。いつもは昼に来るんだけど」

真面目な姉は、英子が返したばかりの本を書架に戻しに行った。汐路は、インターネットコーナーに行こうとして立ち止まった。英子が返却した本のタイトルがひっかかった。目に入ったのは、プログラム開発の本で、かなり上級者向けの内容のはずだった。パソコンの素人が読む本ではない。

汐路は、英子の机に置かれていたパソコンの画面設定が工場出荷時のものと変わっていないのを見て、ついド素人だと考えていたが、そうではないのかもしれない。

汐路は、妙な違和感を抱きながら、一般書のコーナーに向かった。

ぼんやりと、書架の間を進む。さっき英子が借りていた本もそうだが、この図書館に揃えられている本のレベルは高い。名著と呼ばれるような本が並んでいる。愛媛大学の教授が言っていた建築物の錯覚に関しての書籍もあるかも知れない。

汐路は、建築の書架の前にたった。

ざっと背表紙を眺めているうち、『ロフト』という本に目が止まった。汐路は、その大型の写真集を手に取った。名著だが特殊な分野を取り扱っているため、図書館好きの汐路でも、早瀬以外で見たのは、大型の図書館でだけだ。

ぱらぱらとめくる。ニューヨークのいろいろなロフトの写真が解説付きで紹介されていた。

……あの子たちもこの本を手に取った……

汐路は悲痛な思いを抱きながらそっと、その本を撫でた。

……きっと、ケイジロウに紹介されて、この図書館に購入依頼したんだ……

その時、汐路の体が、びくりと震えた。

……違う！　ケイジロウからのメール！　『ロフトの本、早瀬町の図書館にあってよかったね』って書いてあった！　この本、彼女たちが購入依頼する前に、この図書館にあったんだ！……

汐路は震える手で『ロフト』を書架に戻すと、ふらつきながら貸出コーナーに戻った。

明奈は、日本文学の書架の整理をしている。汐路は、そっと姉が使っていたカウンターの席に座った。パソコン画面には、貸出・返却のデータベースが表示されていた。ユーザーインターフェイスは比較的オーソドックスなものだったので、使い方は推測できた。

『図書名』の欄に『ロフト』と打ち込んだ。瞬時に、モニターの画面には『貸出記録なし』との表示が出た。

……そんな……少なくとも、あの子たちは借りていたはず……

他の図書を調べてみた。全て、一定期間以前の貸出記録がない。

……利用者のプライバシー保護のために、データは消すんだ……

汐路は、歯を食いしばり、必死に考える。

……自動バックアップシステム……

図書館員は、基本的にはハード、ソフトの専門家ではない。毎週データのバックアップをとるなどというのは負担だろう。データベースが自動的にバックアップをとるシステムになっている可能性が高い。しかも単なる上書きではなく、データを追加蓄積するシステムにしていたら……。システムを導入した業者は、常にこの図書館に張り付いてメンテナンスできるわけではない。彼らはデータの消失を最も恐れる。万一に備えて、密かに別の場所にデータを蓄積させているのはよくあることだ。

汐路は、キーボードを叩いた。

……あった……

汐路はデータベースに、『書名『ロフト』の貸出先を検索、ただし、『上野美恵』、『馬場京子』を除く。さらに『貸出先』の『貸出図書』全件表示』させた。すさまじい勢いで画面に文字が表示される。

その時、明奈が書架から目を上げ、こちらを見た。

汐路は明奈に微笑みかけたが、モニターの陰になっている指だけは、キーボードを叩き続ける。汐路は、明奈を見つめたまま、システムに『全件印刷』を指示した。返却カウンターの奥にあるプリンターが、一瞬の間をおいて印刷し始めた。

明奈が近づいてきたので、汐路は画面を貸出・返却のメインメニューに戻しておいた。

明奈は、今まで汐路の座っていた席についた。後ろでは、印刷されたリストが次々にプリンターから出てくる。

「ねえ。『這《は》いずり』って知ってる?」

汐路は、プリンターの作動音から明奈の注意をそらそうとした。

「何それ?」

汐路は、祥一郎から聞いた話を伝えた。

「ちょっと前に、このあたりではやったらしい都市伝説。早瀬だから田舎伝説かな」

「ばかばかしい」

プリンターが止まった。

汐路は、明奈がパソコン画面に見入った瞬間に、印刷されたリストを摑《つか》むと図書館のトイレに飛び込んだ。

リストを調べる。

大量のリストだった。ざっと目を通す。『ロフト』を最初に借り出した男は、さまざまな分野に興味があるようだ。精神医学関連の本が並ぶ時期もあるし、宗教書を集中的に読んでいる時期もある。なぜかわからないが、日本のロックアーティストの本や、『公的空間の動線処理と交通管理』などという、タイトルからでは内容が想像できない本も借りられていた。

リストに記載された貸出日時が、ケイジロウが馬場たちと接触し始めた頃になった。書名が並ぶ。

『ロフト』、『ヨーロッパの窓』『インテリアデザイナーをめざす人へ』……

汐路は目を閉じると、リストを握りしめた。

「くそっ」

汐路は、自分に向けてしか言わなかった言葉を、初めて他人に使った。

歯をくいしばりながら、再び目を開けた。リストは汐路の冷たい汗でぬれている。汐路は大きく深呼吸すると、次々にリストをめくった。最後のページに貸出先氏名が印刷されていた。

『利用者名・西英子』

思わず小さな悲鳴が出た。汐路は、トイレのしきりに背中を持たせかけた。

……私、ケイジロウを見つけた……

汐路は暗く呟いた。

汐路は車を西屋敷の側につけた。もうあたりは、真っ暗になっていた。明かりといえば西屋敷の居間から微《かす》かに漏れるものだけだった。汐路は、車のタイヤと地面との間にナイフを差し込み、運転席に座った。「ごめんね」と呟いてアクセルを踏む。釘《くぎ》などと違い、ナイフが引き裂いたタイヤの傷は大きかった。あっという間に車は傾いていく。

もう一度「ごめんね」と言いながら、ナイフをタイヤから引き抜いた。

汐路は、西屋敷の門をくぐり呼び鈴を押した。英子が顔を出した。深夜に訪れた客を不審に思っている表情だった。

「こんばんは。ドライブしていたら側でパンクしちゃったんです。スペアに換えようとしてるんですけど暗くて。すみませんが懐中電灯貸してくれませんか？」

「いいわよ」

英子は奥に引っ込んだ。何かテレビの音が聞こえてくる。汐路は、玄関に隣接する土間の天井を見上げた。

「これでいいかしら？」

英子は大型の懐中電灯を持って出てきた。

「すみません。恥ずかしいんですけど、トイレも貸してください」

普通なら気がつかないような一瞬の間のあと、英子は、「もちろん、いいですよ」と微笑んだ。

「おじゃまします」屈託のない態度で玄関からあがった。

玄関脇には、汐路の父が改装して取り付けたトイレがあった。島屋敷の母屋のトイレは外にある。

中に入った。思った通り、小さな窓があり、ねじ込み式の鍵《かぎ》がかかっている。汐路は、こっそりと、ネジをゆるめた。ワークマンズコートの内ポケットからペンチを取り出し、鍵を根本で切る。手元に残った鍵をさらに短く切ると、瞬間接着剤で頭の部分を根本に接着した。これで、きちんと鍵はねじ込まれているように見える。

汐路はトイレから出た。英子はトイレの出口で待っていた。

「照らしてくださると嬉《うれ》しいんですけど」

都会帰りのなれなれしさで英子に頼んだ。ちらりと英子は迷惑そうな顔をしたが、汐路について西屋敷を出た。英子に懐中電灯を持ってもらい、わざとおぼつかない手つきでスペアに交換した。

「すみません」

汐路は、礼を言って運転席に乗り込むと、英子を残し車を走らせた。背中に英子の視線を感じ続けた。

汐路は、祥一郎の離れの前に立った。テレビゲームの音が微かに聞こえてくる。ドアを軽くノックする。ゲームの音がやんだ。

「うっせえなあ。ちゃんと勉強してるよ」

中から祥一郎の声がしてドアが開かれた。祥一郎は汐路の顔を見ると、まるで幽霊に会ったように硬直した。

「あんたがちゃんと勉強しているかどうかなんて、私に関係ある?」

祥一郎は、うつむいた。

「ちょっとやってもらいたいことがあるんだけど」

祥一郎は何かぶつぶつと言い訳を口にしたが、汐路は、かまわずドアをくぐった。

「あいかわらず汚い部屋」

祥一郎は、情けなさそうな顔をした。

九月二十一日

汐路は西屋敷から百メートルほど離れた空き地に車を停めた。そこから西屋敷の高い土塀と母屋の二階が見える。雨戸は全て閉じられている。

運転席に座ったまま、日が落ちるのを待つ。明るいうちに他人の家に侵入するのは、気が引けた。西英子は、部活の指導で今日も遅いはずだった。

日が地平線に隠れたのを確認してから、納屋で見つけた脚立を手に、車を後にした。

門は閉まっていたので、脚立を立てかけて西屋敷の裏の塀に登る。結んであったロープで脚立を引き上げ、塀を越えた。島屋敷と同じく、裏庭には、大きな杉が植えられていた。汐路は、間伐も枝払いもしていない数十本の杉の間を抜け、母屋にたどり着いた。

外からトイレの窓を開けた。接着しただけの鍵の頭がトイレの床に落ちる音がした。窓によじ登り中に入ると、昨夜ねじ切った鍵の柄をトイレの床に置いた。

トイレの戸を開ける。あたりは、真っ暗でしんとしていた。日中閉め切っていた部屋の空気は、暑く、重い。

汐路は懐中電灯のスイッチを入れた。浮かび上がったあたりの様子に、汐路は、島屋敷に入ったような気分になり、一瞬、めまいがした。西屋敷の間取りは、汐路の父親が改装した部分を除いては、島屋敷と同じだった。実家の母屋と較べて、少し大きく、少し豪華なこの家は昔から好きではなかったが、英子がケイジロウである証拠、木崎たちと上野たちを結ぶ線……、そうしたものを探すのには都合がいい。それ程手間がかかるとは思えなかった。英子が戻ってくるまでに二時間はある。

汐路は、次々に襖《ふすま》や障子を開けていった。二間続いた客間を抜け、居間に入る。居間には、英子の父親が、まだ開業医をしていて裕福だった時に集めた物が置かれていた。それなりに高価そうな置物やゴルフバッグ……。壁に掛けられていた絵は、美術教師の英子から見たら、つまらないと思うはずのものだった。しかし、父親が購入したものは捨てるに忍びなかったのかもしれない。そのまま置かれていた。

汐路は仏間に入った。鴨居《かもい》に代々の家人の写真が掛けられている。懐中電灯の光の中に、汐路の伯父伯母の姿もあった。伯母には母親の面影があった。汐路は目をそらした。

腕時計を見た。

……あと一時間五十分……

仏間の裏にある布団部屋には、数十組の寝具が積み重なっていた。西屋敷が田舎の実力者だった時の名残だ。長い間、使われていないはずの布団からは、黴《かび》の臭いがした。まさかとは思ったが、一応、積まれた布団の間も懐中電灯の光をあてた。

汐路は、改装されている台所、伯父伯母の寝室にも入り、戸棚や押入の中を調べた。しかし、多くの部屋は、最近使われた形跡すらない。一人暮らしの英子には、母屋は広すぎるようだった。

英子の父親が診療室に使っていた部屋に入った。この部屋は殆《ほとん》ど掃除されることがないのか、机の上の医学書、古いファックスや電話の子機にも埃《ほこり》が積もっている。診察台には、医療器機が詰め込まれた段ボールが、いくつも置かれていた。主が亡くなってから十年近くなるにもかかわらず、この部屋には微かに薬品の臭いがした。汐路は、思わずくしゃみをした。

最後に入ったのは英子の部屋だった。見渡したが、女性らしい華やかなものは何もない。西屋敷も開業医の先代が死んでからは、それほど豊かな生活をしていないようだった。引き出しを次々に開けたが、大したものは何も入っていない。机の上にはパソコンが置かれていたが、電話線とは繋がっていない。小さな本棚には、部活関連の書籍が少し並んでいるだけだ。

……図書館で限度一杯に借りた本はどこ？……

汐路は、一階の部屋を調べ終わっていた。

……二階？……

島屋敷では、二階は二間の続き部屋になっていて、かつては汐路と明奈が使っていた。二階の部屋と言うよりも、屋根裏に近い感じの造りだった。

ちらりと腕時計を見た。

……あと一時間二十分……

居間から二階に上がる階段を上がった。上がるにつれて、何か変な臭いがしてきた。空気も湿っている。

汐路は顔をしかめて階段を上がりきった。二階の踊り場にある襖を開けた。臭いは、ひどくなった。

明かりは落ちている。しかし、続き間を仕切る襖の間から光が漏れていた。汐路は、そっと近づいた。

中からは、旧式プリンターが印字する音が聞こえてきた。それと、何か、猿が鳴くのに似た笑い声。

……誰か、ここにいる？……

汐路は、少しだけ襖を開けた。

男が座椅子に座り、汐路に背を向けてモニターに向かっていた。光を出しているのはパソコンのモニターだけだった。男は、ヘッドフォンをしてモニターに向かっている。汐路にも聞こえるぐらいの大音量だった。

……優司さん？……

長い髪は、汚れてまばらになっていたが、後ろ姿に従兄《いとこ》の面影が残っていた。

汐路は、襖をもう少し開けた。

六畳ほどの部屋だが、いたるところに本やパソコンの機材が積まれていた。優司の机の上には、四台のモニターが並び、それぞれが、別々の携帯電話に接続された四台のパソコン本体に繋がっていた。四台のモニターを等分に見つめながら、優司は、凄《すさ》まじい勢いでキーを打っている。さっきプリンターの印字音と聞こえたのは、優司がキーを叩《たた》く音だった。

汐路の位置では、詳しい様子は見えない。意を決して、部屋に入った。

ひどい臭いと暑さに吐きそうになった。そっと優司の背に近づく。汐路の重みで、半分腐った畳はじっとりと湿気を持ってへこんだ。優司の傍らにあるのは、脂まみれの布団だということがわかった。

さらに優司に近づいた。優司はびっしょりと汗をかいている。最初、優司は座椅子に座っていると思ったが、違っていた。通常の椅子を限度一杯に低くしてあった。それでも足がつかえる心配はない。優司の両足は無かった。さらに、彼は、右手だけでキーボードを打っていることがわかった。左腕もない。

優司の頭はゆっくり左右に揺れている。その動きとは全く同期せず、まるで別の生き物のように、右腕だけは凄まじい勢いでキーボードの上を走っている。優司のキー入力には抑揚がない。句読点で止まることもなく、全く同じ速度でキーを叩いている。汐路は、優司のキー入力音をプリンターの印字音と聞き違えた理由がわかった。

汐路は息を詰めて、優司の背後二十センチまで近づいた。殆ど髪の残っていない優司の頭は、瘡蓋《かさぶた》だらけで、ひどい臭いがした。汐路は、優司の肩越しにモニターを見つめた。

画面には、電波系と呼ばれるホームページの掲示板が表示されている。

『ひどい毒電波を送ってくる奴がいる・正彦』

『彼らは携帯電話を使っています。その証拠に携帯電話が増えてから電波も増えているでしょう・ケイジロウ』

『毒電波を送っている奴を見つけるのはむずかしいのか・正彦』

『むずかしいでしょう。相手も隠れていますから。でも一番見つけやすい場所があります。電車の中ですよ。隠れられないから。電波が届いているときに、側で携帯電話をかけているやつがいたら、そいつが張本人です・ケイジロウ』

掲示板は、全体に行数制限がかかっているものだった。続いて書き込みを続ければ、二人の会話は掲示板から押し出され、闇の中に消えていく。

汐路の心拍数が跳ね上がった。激しい頭痛が起こる。

優司の手が止まった。

その手が、ゆっくりと頭に伸びる。突然、優司の指は頭を掻《か》きむしりはじめた。あまりに強く、速く掻きむしったので、数十本の長い髪が落ちた。ふさがったばかりのような瘡蓋もぱらぱらと落ち、新たに血が滲《し》み出てくる。優司は、また、ゆっくりと手をキーボードの上に戻した。指には数十本の抜けた長い髪が絡みついていたが、優司は気にもしていないのか、また凄まじい速さでキーを叩き始めた。汐路は、ゆっくりと、髪と瘡蓋が落ちた先を見た。汐路の足下には、何千本かの髪と瘡蓋が畳を覆っていた。汐路は飛びすさった。悲鳴が口から飛び出しそうになったが、必死に呑み込んだ。

汐路は、ゆっくりと後ずさりし、続きの間に戻ると、そっと襖を閉め、そのまま、座り込んでしまった。悪臭と、暑さと、異様な光景からくるひどい吐き気を歯を食いしばって耐えた。

また、優司のいる部屋から、猿が鳴くような笑い声が聞こえてきた。汐路は這《は》うようにして続きの間から階段の踊り場に出ると、そこの襖も閉めた。静かに深呼吸する。激しい胸の動悸《どうき》はおさまってきたが、体に染みついた臭いのせいで、吐き気と頭痛は続いていた。

汐路は、腕時計に目をやった。

……あと一時間十分……

その時、汐路の内ポケットで何かが震えた。汐路の心臓は一瞬止まったが、携帯電話が着信したことを知らせるバイブレーションだとわかった。

携帯電話を手に取った。

息の上がった祥一郎の声だった。

『汐路さん。大変だ、もうすぐ西先生がそっちにつく』

汐路は、英子が早く部活を切り上げるようなことがあったら、学校の公衆電話から汐路の携帯に連絡するようにと祥一郎に言ってあった。

その時、玄関の戸が勢いよく開けられ、どかどかと廊下を居間に向かう足音が聞こえてきた。汐路は、二階の部屋に戻り襖を閉めた。

『すみません。学校の公衆電話は、教頭が使っていて……長話してて……』

汐路は、携帯を耳にあてたまま二階の窓を調べた。十分汐路が抜け出せる大きさだったが、窓は釘《くぎ》で打ち付けられていた。雨戸と窓の間には、びっしりと防音材が詰められている。二階からは逃げられない。階段を降りた居間には、英子がいる。

『しょうがないから、家まで走って帰って電話してる。そっちは大丈夫？』

汐路は必死に脱出方法を探った。

「それじゃ、今、あんたは家にいるわけね。西屋敷の電話番号わかる？」

『学校の連絡表に書いてあると思うけど』

「すぐに調べて！」

携帯を手で覆うようにして、小さな声で喋《しゃべ》った。

汐路は、携帯を耳にあてたまま、階段に続く襖を開けた。下の居間を覗《のぞ》く。居間では、英子が足を投げ出していた。目はなにかを凝視するように見開かれている。何かのビデオテープを手に持っていた。ぶつぶつと何かを呟《つぶや》いている。口からはゆっくりと涎《よだれ》が糸をひいていた。

汐路は続きの間に戻ると、そっと襖を閉めた。

『汐路さん、番号がわかった。86の14……』

汐路の口調から事態の大変さに気づいたのか、声がうわずっている。

「そこに間違いファックスをかけて！」

『何を送る？』

「なんでもいい。一分ごとに送り続けて！」

汐路は携帯を切って、再び襖を開けた。

汐路の背後で、また猿が鳴くような笑い声がした。

その声を聞いた英子は、海底の軟体動物が動くように、のそりと起きあがり、居間の隅に置いてあった父親のゴルフバッグからドライバーを無造作に抜き出した。そのまま階段の方に歩いてくる。汐路は急いで次の間に戻り襖を閉めた。英子が階段を上る音が聞こえてきた。ドライバーを引きずっているのか、ドライバーが階段にあたる音がだんだん近くなった。

その時、玄関に置いてある電話が鳴った。襖のすぐ向こうで、英子が大きな舌打ちをする音がした。英子は階段を降りて行く。

ドカドカと英子が一階の廊下を踏む歩調にあわせて、汐路は階段を降りると、居間を横切り仏間に入った。玄関脇に置かれた受話器を叩きつける音がした。また、大きな足音をたてながら英子が居間に戻ってくる。

汐路は息をひそめて、腕時計を見ながら、次の間違いファックスを待った。

また、電話が鳴った。

呼び出しの第一音目と同時に仏間と客間を仕切る襖を開け、体を滑り込ませると襖を元に戻した。古い家は、どんな音を立てるかわからない。石丸に教えてもらった『第一音の持つ性質。人は、音が鳴り始めたことのみに意識が向く』というゲーム制作のテクニックを自分のたてる音のカムフラージュに使った。

大きな足音に続いて、また、受話器を叩きつける音がする。電話機が壊れないのが不思議なほどの強さだ。

汐路は屋敷の間取りを思い浮かべた。記憶によると、客間はあと二つ続いている。そこからは、廊下を挟んでトイレがある。トイレには鍵の残骸《ざんがい》がそのまま置かれている。英子がトイレを使えば、侵入されたことは一目でわかる。

足音が客間の脇を通り過ぎていった。

次の間違いファックスの前に、また英子の足音が聞こえてきた。そして何かを電話機の側に置く音。

電話が鳴った。腕時計を見つめた汐路は、客間同士をしきる襖を開けた。かなり大きな音がして汐路をひやりとさせたが、英子は気がつかなかったようだ。電話は、三度だけ鳴った。その後、ファックスの作動音が聞こえてきた。

……診療室にあったファックスを持ってきた？……

汐路は凍り付いた。

しばらくして、英子の声が聞こえてきた。

「おたくの不動産案内のファックスが間違って家に届いているの。もう二度とかけてこないでちょうだい。わかったわね」

抑揚のおかしい声だった。まるで録音したテープを逆回しで聴いているように、声が脈絡無しに高くなったり低くなったりしている。

また受話器を叩きつける音がしたが、その後で、もっと大きな、何かが壊れるような音がした。英子はゴルフのドライバーをまだ手に持っている。

英子の足音は聞こえない。電話の側でしばらく待って、もうかかってこないかどうか確認するつもりらしい。

汐路は、ため息をついた。その時、また電話が鳴った。汐路は、一瞬で襖を開けると、最後の客間に飛び込んだ。

「番号の設定変えたなんて連絡はいいのよ。もう電話かけてくるな」

玄関で英子がわめいている。抑揚と調子はますます狂っている。人の口から出た声とは思えなかった。その声に、なぜか宇賀神チームの若いデザイナーが言った言葉が頭に浮かんできた。

……同じでしょ、怨霊《おんりよう》に喰《く》われるのも、鬼に喰われるのも……

汐路の膝《ひざ》から力が抜けていった。

汐路は、ほんの一瞬だけ自失したが、なんとか再び精神の均衡を取り戻した。祥一郎の機転で、一つ襖を通り抜けたが、まだ、廊下に出る襖とトイレのドアが残っている。発信場所がわかったから祥一郎はもう電話はかけられないだろう。

汐路は襖に耳をあてた。

英子はまた、ドライバーを引きずりながら居間に戻っていく。襖を通しても彼女が何か訳のわからない言葉を呟いているのがわかる。居間から、どすんと腰を下ろす音が聞こえた。

汐路は、内ポケットから携帯電話を取り出した。

……西屋敷の電話番号、祥一郎君は、なんて言ってた？……

必死に記憶を探った。思い出した。

汐路は、携帯電話のボタンカバーを開けた。その時、カバーは、本当に小さいが、パチンという音をたてた。

「あら？」

英子の声がした。小学生のようにひどくかわいい声だった。

「あら？　あら？」

声は不気味に変調しながら、汐路のいる客間に近づいてくる。

『８６の１４……』

汐路は、急いで携帯で西屋敷を呼び出した。

電話は沈黙している。

……なぜ!?……

汐路は、あわてて携帯を耳にあてた。ツー、ツーという断続音が聞こえてくる。

……話し中？　どうして？……

英子の足音は、汐路のいる客間の前で止まった。

……馬鹿！　市外番号を押してない！……

汐路は混乱のあまり、祥一郎の伝えた市内番号だけを押していた。それでは携帯から繋がらない。汐路は廊下と客間を隔てる襖の陰に身を寄せた。

目の前の襖が少し開いた。そこから指が差し込まれた。その指は、一本一本が、何か独立した虫のように痙攣《けいれん》している。汐路は、英子の白い指を見つめながら、携帯のボタンを押した。

ゆっくりと襖が開いていく。英子の頭が、ぬるりと暗い客間に入ってきた。

その時、西屋敷の電話が鳴った。

「あら?」

英子の頭はそのまま廊下に引っ込んだ。英子の声は、また童女のような声に戻っていた。

襖の陰に潜む汐路に気づかず、英子は、すたすたと玄関に向かった。

もう、一音目、二音目と贅沢《ぜいたく》は言っていられなかった。三音目の呼び出し音で開け放たれていた襖から廊下に出て、トイレに潜り込んだ。その一瞬、英子の奇妙に斜めに傾いだ背中が見えた。

汐路は内からトイレの鍵《かぎ》をかけてドアに耳をあてた。

二階からまた、猿の叫びのような笑い声が微かに聞こえたような気がした。

「まったく、いいかげんに……」という調子の外れた英子の声と、階段を駆け上がる足音。何かが壊れる音と悲鳴。階段を下りる音。また、猿の叫びのような笑い声。

西屋敷の周りに人家はない。あっても広大な敷地を覆う屋敷林は、僅《わず》かに漏れ出たこの不愉快な音を消してしまう。

英子は、また居間の方に戻ったようだった。汐路は、トイレの内鍵を外した。携帯を口にくわえると、トイレの窓をそっと開け、窓から這い出した。幸い月は、雲に隠れている。

汐路は、窓の外の脚立を裏庭の土塀まで持っていくと、再びトイレの窓の下に戻った。そこには、ソフトボール位の石をあらかじめ用意していた。それには、『学校でキレるな、キスケばばあ』と書いてある。明日になって疑いの目で見られる早瀬中の生徒には気の毒だが、汐路は思いっきりトイレの窓に叩《たた》きつけ、侵入の形跡を消した。そのまま裏庭を横切り、塀を乗り越えて外に出た。

脚立を手にした汐路は、闇をつたって走り、物陰に潜んで西屋敷の門を見た。英子が飛び出してきたのが玄関からの明かりで見えた。手には、まだゴルフのドライバーを握っている。その姿は、陽炎《かげろう》の立つ時刻でもないのに、奇妙に歪《ゆが》んで見えた。

英子は、ゆっくり周りを眺め、西屋敷に消えていった。

汐路は、西屋敷を凝視したまま、しばらく動けなかった。ふと、口に携帯電話をくわえたままなのに気がついた。そっと携帯を手に取る。まだ西屋敷にかけた通話は切れていなかった。汐路は、震える手で携帯を耳にあてた。

『もしもし、どなたかしら？』

深い穴の底から響いてくるように変調した英子の声が聞こえてきた。

あわてて電源を切った。膝から完全に力が抜けた。ぺたんと地面に座り込んだ。どのくらいたったか、震えながら荒い息を繰り返すうちに、やっと落ち着いてきた。

その時、汐路の背後の闇から、ゆっくりと腕が伸びてきた。その腕は汐路を後ろから羽交い締めにした。同時に汐路の口と鼻は、その手に覆われた。悲鳴を上げることも、息を吸い込むこともできなくなった。

汐路は暴れたが、押さえつける腕は、びくともしなかった。逆に体中の酸素を一気に使い果たしてしまった。息をしようにも鼻と口は塞《ふさ》がれている。汐路は抵抗する力を失った。

汐路は、ずるずると背後の暗い藪《やぶ》の中に引きずり込まれていった。

目の前にバールを手にした石丸の姿があった。

石丸は口に人差し指をあて、「今、放しますから叫ばないで」と小さな声で言った。

汐路の口から手がどけられた。汐路は、必死になって息を吸った。

「大丈夫。今は息をするのに精一杯で、悲鳴をあげるどころじゃないさ」

押し殺した声に振り返ると、汐路を羽交い締めにしていたのは源田だった。汐路は源田の手をふりほどくと、大きく何度も息をした。

闇のせいではっきりしないが、石丸は腕を組んで苦い顔をし、源田はにやにやと笑っているように思えた。

「無茶なことをしますね」

西屋敷の者を警戒してか、石丸の声は低かった。源田は、石丸の手にしていたバールを受け取った。

「悲鳴でも聞こえたら殴り込みに行こうと思っていたんだけど、残念。しかし、あんな所でいつまでも座り込んでいるもんじゃない。月でも出たら一発でアウトだ」

ちょうど月が雲間から顔を見せた。源田の白い歯が見えた。

「なぜ石丸さんたちが？」

「それは、こっちが聞きたいですね。性差別をするわけじゃありませんが、女性が一人で忍び込むなんて無謀すぎます」

石丸は、ひどく怒っていた。

源田が笑いながら二人の間に入った。

「西屋敷の側はまずい。食事でもしながら話し合おう。フィリフィヨンカなんかどうだ」

汐路は肯《うなず》いた。

フィリフィヨンカのドアを開けると、神保が席を用意してくれた。石丸は汐路に席を勧めず、窓際の席についた。

「石丸さんたちは何をしていたんですか？」

「君からメールを送ってもらってから、主に僕は真相の究明。源田は君のガードをしていました。まさか、源田が目を離したすきに西屋敷に侵入するなんて思いませんでしたが」

石丸のセリフに源田は、首をすくめた。今日は弁当を持ってないのか、おとなしく食前酒に口をつけている。

「ガードしてくれていたんですか」

源田は獰猛《どうもう》な顔つきで笑った。

「あたりまえだろ。俺が事件に関わっていたら、君をかっさらうね。それからあんたが送った書類の宛先を聞き出す。喋《しゃべ》らせる方法なんか山ほどあるからな。まあ今回は犯人側じゃないから、やった犯罪は不法侵入だけですんだ。古い日本家屋は、侵入しようと思えば簡単だな」

「西屋敷に盗みに入ったんですか?」

「あんたが侵入するかなり前に」

「何を盗もうとしたんですか?」

「サイコのトロフィー」

　汐路の知らない言葉だった。

「サイコな奴は、自分の犯罪の記念品を持っている場合が多いらしいな。例えば、被害者の体の一部とか、持ち物とか……。それをサイコのトロフィーと言うんだそうだ」

「西屋敷で見つかったんですか」

「収穫はどっさり」

　源田は、持ってきたバッグをテーブルに置いた。汐路は小さな悲鳴をあげて、思わず椅子の背に体を張り付かせた。源田は笑いながらバッグを自分の膝《ひざ》に移動した。

「すまん。体の一部なんかは入っていない。見ようによっては、もっと気味の悪いものだが」

　源田はバッグのファスナーを開けた。

「西屋敷に棲《す》んでいるケイジロウ……西優司の今までの通信記録。少しノートパソコンで見ていたが、気分の悪くなるようなしろものだ。木崎さんとやらとの通信記録もあった」

　汐路はバッグの中を覗《のぞ》き込んだ。大量のＣＤが入っていた。

「よくこんなに盗めましたね」

「あんたが送ってきたケイジロウと馬場京子の通信時間の記録を分析して、彼が眠る時間帯がわかった。爆睡している彼のそばからごっそりいただいてきた。彼は一日二時間しか眠らないようだから、寝ている時は周りで多少の音がしても目を覚まさなかったぜ。ハードディスクのデータまでコピーできた」源田は、急に顔をしかめた。「しかし、予想していたけどひでえ臭いだったな、あの部屋」

まだ思い出して不快になるのか空になった食前酒のグラスを鼻に持っていき、残った香りを思いっきり吸った。

「予想していた？　優司さんが生きていることを予想していたんですか？」

石丸が手にしたグラスをカタンと机の上に置いた。

「島さんも書いていたでしょう。『這《は》いずり』の話。あの話には、島さんが指摘していたように本来つく因縁話とか尾鰭《おひれ》とか背景の説明というものがなかったですね。まさかと思って、幼稚園児のリストにかたっぱしから当たったんです。目撃者を見つけましたよ。当人は今では幻覚か夢だったと思っていますが……。彼の話から場所も特定できました。場所は、御敷沼と西屋敷のちょうど真ん中あたり。おそらく父親に殴られた時には、西優司は死んでなかった。沼に落ちた時に意識を取り戻し、自力で這い上がったんです。沼に落ちたときに大怪我をしていたので、這って自宅に戻ったのでしょう……。この姿を幼稚園児に目撃されてしまった。なぜ、彼が家を目指したのかはわかりません。自分を襲ったのが父親だと知らなかったのかもしれないし、もしくは、混濁した意識が『ともかく家に』

と命じたのかもしれません……。そして、医者だった父親は、家に戻った優司さんの両足と左手を切断して幽閉したんです」

源田は肩をすくめた。

「俺は、そんな話、信じなかったんだけどな。ちょいと西屋敷の電力メーター覗いた後からは、ありえると思った。留守中に千ワットも電力使ってる家なんてそんなにないからな。せいぜい冷蔵庫が百二十ワット、家電の待機電力が百ワット。合計二百ワットちょっとってとこだ。まあ、アイロンと電子レンジをつけっぱなしにして出かける趣味が英子にあるんなら話は別だが」源田は、今度はテーブルに飾られた花を自分の鼻に押しつけた。「室外機で確認したが、この暑さにもかかわらずクーラーはかけてない。そんな家に籠《こ》もっている奴の所に行ったんだぜ」

汐路は、うなだれた。自分の判断の甘さを思い知った。

「島さんは、あと三つ勘違いをしていますよ」

怪訝《けげん》そうに源田は、石丸の顔を見た。

「二つじゃないのか？」

石丸は少し困ったような微笑を浮かべて源田を見た。

「いや、三つだ」

源田は宙を睨《にら》み、魚や肉の一杯詰まったミートパイを持っていない方の指を折りながら数えた。

石丸はちらりと窓の外を見た。

「まず、島さんは、木崎さんたちと美恵ちゃんたちを犯罪に追いやった者がいるのなら、彼女たちの人生と犯人の人生は、どこかで交錯しているのではないかという思いこみがありました。だから、美恵ちゃんの担任の英子さんが怪しいとなった時に、彼女がケイジロウであるという結論に飛びついたのでしょう。でも違います。西優司さんは、特定の人を殺そうなんて思っていないんです。彼は、ただ、他人に危害を加えたいのです。自分の力で、不幸になる人が出ればいい、夫婦の離婚とかになればなおいい、外部要因が重なって結果として殺人や無理心中になれば最高だ、と……。そこで彼は、一万人の発言を読みます。そのうち目を付けた千人に働きかけます。そのうち百人が傷つき、そのうち十人がひどい被害を被る。美恵ちゃんと木崎さんは、さらにその中の一人だったんです」

「二階から目薬落として目に入れる方法って知ってるか？　バケツ一杯の目薬をぶちまけるんだとさ」

ミートパイを食べ終わった源田がおもしろそうに言った。

「だから僕は、彼の食い付きそうなキャラを演じて電波系のホームページで発言を続けました。思ったとおりケイジロウと接触できました」

汐路は、石丸のファイルにあった『電波系』のホームページを思い出した。

「第二の勘違い。島さんは、お父上の正気を疑っていましたね。僕は、彼は完全に正気であったという前提で調査しました」石丸は鋭い目で汐路を見た。「今でも行動の一部分は疑っているでしょう。無理心中の真相は別としても、他の言い争いなどは、お父上の変調が原因ではないかと」

石丸は言葉を切った。

「違うのですか？」

「全く違いますよ。島さんのお父上の言動は完全に正常でしたし、お母上とも争いにはなっていません」

「むしろ、あんたの親父は天才だぜ」

源田が横から口を挟んだ。

神保が空になった源田の皿をさげに来た。殆《ほとん》ど手をつけていない汐路の皿に首を傾げると厨房《ちゅうぼう》に戻っていった。そこに置いていたパイの残りを口に放り込んで、また首を傾げる。

「島さんのお父上は、西屋敷の改装を依頼されて詳細に調査したんです。そしてあちこちに考えられない歪《ゆが》みを見つけました。小田教授などは、詳しい調査をしないで出来の悪い職人が単に近江敬次郎をコピーしたのだと結論づけましたが、お父上は実際にノミやカンナをふるう職人です。西屋敷は、明らかに近江敬次郎の手によるものとわかったのでしょうね。それから、薄々はその歪みが持つ力も……。だから、同じく近江敬次郎の作である島屋敷をホースやビー玉を使って、いそいで調べたんです。彼の大切な妻子がずっと住んできたのですから」

「どうして近江敬次郎がそんなことを？」

「近江工務店で敬次郎が来る前に奉公していた武家の名前を聞きました。赤坂に住む田中なにがしとかでした。僕は、江戸時代の地図を元に名前を割り出し、その子孫にたどりつきました。そこで早瀬の話を聞きました。たしか芝居では、この武士は悪代官でしたよね」

汐路は肯《うなず》いた。

「かなり無理のある話ですけど……。代官が黒幕なら、自分の悪業を知る子を手元に置いたりしないですよね」

石丸は笑った。どうやら無謀な行為をした汐路への怒りはおさまったようだった。

「代官の行動は明らかに子供を守るためのものです。代官の子孫から聞いた事実は違っていましたよ。宮大工の喜助を一家惨殺に追い込んだのは、代官ではなく村の有力者たちです。彼らが、当時、大改修を行っていた金比羅歌舞伎《かぶき》に必要な檜《ひのき》を無理矢理出させたんです。檜が無くなれば、喜助は代々続いている宮大工としての義務は果たせなくなります。喜助は、相当抵抗したみたいですよ。ちなみに芝居では宮大工の仕事が無い時は、喜助は百姓をしていたことになっていますが、本当は炭焼きをしていました。村の有力者は村の者に喜助の炭を買わせないことで彼に圧力を加えていたそうです」

なぜ怪談に出てくるキスケの顔が黒いのかわかった。喜助の顔は炭で汚れていたのだろう。そして、喜助がキスケになった訳も……。村人は、圧力に負け炭を買わなかったことを後ろめたく思った。そして、その良心の呵責《かしやく》がキスケの復讐《ふくしゆう》という怪談を創り上げた……。

「代官というと何か権力者というイメージがありますが、実際は任期数年程度の転勤族で、喜助一家を可哀想に思っていても村の有力者を敵に回してまでは守れなかったそうです。事件後は、せめて生き残った鶴太だけでもと江戸に連れて帰ったそうですが」

「でもなぜ、それが芝居では代官に変わっていたんでしょう」

「有力者を指弾するような芝居をですか？　内容は変えざるを得ないでしょう。明治政府ができたばかりですから悪代官の存在は都合が良かったのかもしれませんし」

石丸は、残っていた食前酒を飲み干した。

「それから近江工務店のおじいさんと田中なにがしの子孫に聞いてみました。二十年くらい前に僕と同じ質問をした人がいなかったかって……。いました。年齢からして島さんのお父上でしょう」

「両親の諍《いさか》いは？」

石丸は、少し悲しそうな目をして微笑んだ。

「島さんは、良いご家庭に育っていたのですね。両親が仲の良い家庭で、たまたま両親が口論していたりすると、幼児期の子供は両親が離婚するのではないかなどと過剰に怯えたりすることがあるそうです。免疫がないですから……。それから、島さんは、お父上が恐ろしい様子で島さんを家から連れだしたと言っていますが、当たり前でしょう。とんでもない家かも知れないところで、大切な娘が遊んでいるのですから」石丸は、じっと汐路の目を見つめた。「島さんのご家庭は、良いご家庭だったのです。その証拠に、お父上の異常さと両親の不和の記憶は、全てが一時期、それもごく短い期間に限られているはずです。他の時期にそうした記憶がありますか」

　汐路は少し考え、首を振った。

　石丸は満足そうに肯く。

「諍いではなく一時的なパニックです。お母上からすれば、血の繋《つな》がっている甥《おい》や姪《めい》のことが心配でしょうし、お父上は、大切な元小作を甥から守らなくてはならない。知ってました？　西優司さんが起こしていた詐欺事件」

　汐路は肯いた。

「話を元に戻しますが、敬次郎と名を変えた鶴太は、自分なりの力で復讐をしようとしたのでしょう。妻子への責任を果たした上で早瀬に戻ってきた。家族を死に追い込んだ西屋敷に絶妙な歪みを与えた。意識ではとらえることが出来ないが無意識にストレスを与え続けるようなぎりぎりの歪み……。そんな家で育った者が、その家で子供をまた育てる」

「いわゆる孫子の代まで祟《たた》っているわけだ」源田がニヤリと笑った。「おもしろいこと教えてやろうか。地相学って占いがある。それによると宅地は長方形なのが一番良いが、一辺が大きく歪んでいる場所に三歳くらいまで住むと、その子の精神は宅地を映したように歪むらしい。成長にともなってその歪みも大きくなり、事件を起こしやすい性格に陥るらしいな。特に宅地が二本の道路に接していると最悪とある。まあ、二本道路に接すると言うことは、必ず歪んだ辺が外から視認できるということだ。帰ってくる家が、歪んで見えるというわけだな。ちなみに家相学の方から言うと、家が同じような歪みを持つ場合、住む者が警察沙汰《ざた》を起こしたり、家が火災にみまわれやすいそうだ。工務店やってると、そんな問題の部分に対抗するような内装をやってくれという依頼が時たまあるが、西屋敷みたいにどこもかしこも微妙に歪ませた家だと手の施しようがない」

歪みが与えるストレスの影響は、汐路も知っていた。

「島の家も、昔は有力者です。うちの屋敷も……」

汐路は、さっきから恐ろしい思いに震えていた。

「島さんの先祖が近江敬次郎に恨みを受けていたかどうかはわかりません。しかし少なくとも家に歪みはないでしょう。お父上は、あなたたちを引っ越させなかったんでしょう？小田教授とあわせて、職人と学者の保証つきです」

汐路は、ほっと息をついた。

「早瀬に殺人事件が多いのは西屋敷の者のせいだったんですか？」

「関係しているのがあるのかもしれませんが、殺人犯のうちの半数以上は検挙されていました。それらと西屋敷とは無関係のように思えます。敬次郎が他にも何か残しているせいかどうかはわかりませんが」

石丸は、ちらりと窓の外を見た。

「これで、島汐路の思い違いは二つだよな？　もう一つは知らないぞ。おまえ、俺に言ってないことがあるんじゃないか？」源田の目が細くなった。「おまえ、さっきから外ばかりを見ているようだが何を気にしている？」

石丸は、また、ちょっと困ったように微笑んだ。

「源田も島さんも善人だから考えつかなかった思い違いがあります。島さんは、西優司さんの殺人をネタに松原銀次さんに要求しましたよね。孝さんをお姉さんに近づけるなと。銀次さんは、もちろん孝さんを説得したんでしょうね。その説得の過程で銀次さんは過去のことも喋《しゃべ》らざるを得なくなった」

「しまった……」

汐路は、凍り付いた。

石丸は肯いた。

「孝さんは、歪んだ上昇志向を持つ男のようですね。過去の真実を知って配偶者のターゲットを、同じ名家の跡継ぎの西英子さんに変えたのです。明奈さんはなかなか思うとおりにならないですし、うるさい妹も側にいましたから。脅迫を受けた英子さんは、結婚よりも親子もろともの排除を選んだようですよ」

「まさか英子さんは松原親子を……」

石丸は肯いた。

「石丸さん、英子さんの殺人を止めなかったんですか？」

汐路の声は震えていた。

「それから動いても間に合ったかどうかわからないし……。それで、ネットで知り合ったケイジロウに死体の処理方法について、こっそり示唆してあげたんです。インターネットで知った情報なんですけど、やくざが完全に死体を始末したいときに砕石機を使うらしいですね。この機械は回転するタンクになっていて、中では石がお互いにこすれあって丸くなる。そこに死体を入れておくと細胞レベルまですりつぶされて絶対に死体は発見できない……」

汐路は、石丸のホームページのリストに早瀬の採石場や砕石機メーカーの資料があった理由がわかった。

「それから、ビデオカメラを持ってずっと採石場にスタンバイしていたんです。最初の夜の内に英子さんが来ました。親子二人分の死体を持って」

「二人……分？」

源田は石丸を睨《にら》み付けた。

汐路も石丸のセリフに奇妙なアクセントを感じた。

「女性でも運びやすいように松原親子は処理されていました」

源田は、口元に運んでいたメインディッシュを皿に戻した。

「ビデオに撮りましたが、島さんは見ない方がいいですね」

源田は腕を組んだ。

「それを使って、西英子を罪に問うつもりか……。だが、西優司の方はどうかな。明確な犯罪行為としては二十年前の殺人だが、とっくに時効だぜ」

「だから、ビデオを警察に送る前に、英子さんにもコピーを渡した。今日の夕方」

「それで、部活どころじゃなくなったんだ」

汐路は、英子が今日に限って早めに帰ってきた理由を知った。

「そろそろ英子さんはもう一つの人生の選択をしているはずですよ」石丸は、顎《あご》をしゃくった。「ほら」

汐路と源田は、示された方向を見た。

遠く、西屋敷のあるあたり、闇をすかしてみると微かに空気がゆらいでいた。

「多分、歪んだ誇りを持つ人は、こういう選択をするだろうと思いましたが」

一瞬ゆらぎが大きくなり空にぱっと火の粉が飛んだ。

汐路は、思わず立ち上がった。

石丸は軽く手で汐路を制した。

「もう遅いですよ。英子さんも優司さんも、既にこの世にはいないでしょう。あの家も無くなった方がいい」

「ひどい……」汐路は呟《つぶや》いた。「優司さんにひきずられていただけの英子さんをそこまで追い込むなんて……」

石丸は、真っ直ぐ汐路を見つめた。

「何を言っているんですか？　あんな環境にありながら、西優司は、父親、妹の三人の中では一番まともです。彼は、何とか人々に自分という存在を認めさせたかった。最も直接的なのは危害を加えることですが、相手に喜んでもらえることも喜びだったはずです。島さんも見たでしょう。上野美恵さんたちに対しての指導。あれは本心からのものです。そうでもなければ、彼女たちが、あれほど短期間にインテリアデザイナーとしての才能を開花させた説明がつかない」石丸は、息を継いだ。「西英子が主犯ですよ。例えば、松山空港の事件は彼女が提案しているはずです。自由に移動できて空港の手すりを見た者でないと思いつかない手口です。それにパニックの引き金になった一声は、女性の声だったそうですし」

「あの事件もケイジロウが？」

石丸は肯いた。

「ディスクに入っていましたよ。松山空港にファンを集めるデマの発信文書……。どこにいつ発信すれば、最も効果的に人を集められるか……。バスやタクシーの配置まで計算しつくされたものでした。おかげで、多数の死者が出ました。しかし、優司さんは犯罪を犯しても結果を文字情報としてしか得られない。だから、いつまでたっても飢えがおさまらずネットに接続し続けているんです。だが、英子さんは眼前に死体の山を築いても満足しないで、さらなる行為を兄に強要している。どちらが歪《ゆが》んでいますか？　父親もそうです。激情にかられて殺《あや》めることについてはともかく、重傷を負いながらも這《は》って家に帰ってきた実の息子の両足、片手を切断して幽閉するなんて、全く理解できない」

石丸は、テーブルの一点を見据えたまま、両腕を震わせた。汐路は、石丸の表情が歪んでいくのを呆然《ぼうぜん》と見た。石丸は、その視線に気づき、恥ずかしそうに顔を伏せた。

「島の敵を全員排除とはな。おまえも立派なサイコ野郎だ……」

源田の言葉に石丸は眉《まゆ》をひそめた。

「サイコ野郎？　僕がか？　僕の理解では、自分の歪んだ欲望のために犯罪を犯す者がサイコだと思っているが」

源田は、ため息をついた。

「気づいてねえのか？　おまえは、身内を守る時にはモラルとか常識とかは吹っ飛ばしてしまうんだ。日本型サイコって感じかな。だから身内と思わないように思わないように人間関係の距離を必死にとろうとしてるんだろ。いつまでも丁寧語なんか使って」

石丸は、源田のセリフに特に動じたふうもなく、「そうかもしれないな」と答えた。二人それぞれの思いに気がつかないのか、石丸は再びバッグの中のサイコのトロフィーを見た。

「それじゃ、僕はケイジロウが焚《た》き付けたトラブルの火消しでもしようか。警察は、そこまでケアしてはくれないからね」

石丸は、バッグの中のCDを数え始めた。

汐路は、再び窓の外を見た。その悲しげな視線の先には、既に空を焦がし始めた炎があった。源田も皮肉っぽく口元を歪めて高く上がる火の粉を見つめる。フィリフィヨンカの店の前を応援の消防車が走っていく。

「火難の相まであたるとはな……」

源田は、ぽつりと呟いた。

十月十二日

三週間がたった。

スーツケースを受け取った汐路は、一階の松山空港の到着ゲートを抜けた。二週間カナダに滞在しただけで、スーツケースの中身は土産物で一杯になっている。

事故の起きた空港ロビーは、すっかり整理されていた。

問題の手すりを見上げたが、今では柱にしっかりと固定されていた。その手すりを人の良さそうな中年の女性が磨いている。

送迎ロビーでは、明奈が汐路を出迎えた。

「あれから早瀬はどう？」

「別に。大変だったのは西屋敷が焼け落ちてからの一週間だけ」

「じゃ、私がカナダに行ってからは、静まったんだ」

石丸の公開したCDが巻き起こしたマスコミの大騒動、焼け跡から出た二つの死体、警察の事情聴取に翻弄《ほんろう》された最初の一週間と、カナダでのあわただしいが豊かだった二週間……。


空港駐車場に明奈の車はなく、クーパーバージョンのミニが停まっていた。

「こんにちは」

神保が照れくさそうに会釈した。フランケンシュタインは、片手で軽々と汐路のスーツケースを車に積み込んだ。汐路は後部シートに腰を下ろしたが、明奈は、ごく自然に助手席に座った。神保の車は、空港駐車場から発進した。

「どうだった？」

「うん、カナダの会社は雇ってくれるって」

「それじゃカナダに行っちゃうの？」

「ううん、ネットワークを使って制作に参加することにした。当分は早瀬で暮らす。ずっと先のことはわからないけど」

明奈は、ほっとしたようだった。

「上野美恵ちゃん、無事保護されたんだって？」

「ええ、大阪で。今度の事件で、また注目されたでしょ。インターネットで彼女の顔写真がまた公開されて、それで見つかったらしいの」

汐路は、カナダでもこの事件の成り行きをインターネットで見守ってきた。村上祥一郎は、『僕が窓を開けた時』というホームページを開設していた。このタイトルの由来は、自分の設定した美恵と京子のパソコンがケイジロウを呼び込んだのではと悩む祥一郎を、ありがちな言葉だが『泥棒が窓から侵入したとしても、それは窓を作った大工の責任じゃないよ』と慰めた汐路の言葉からとったものだろう。慰められた時に、祥一郎は、ちょっと悲しそうな微笑みを浮かべて、「そうですか」とだけ答えていた。

彼のホームページの中では、早瀬の具体的な事例は一切触れられていない。ただ、インターネットを使う中学生として、どうやったら自分や友人の身を守れるかを模索している。論理は幼いが、その真摯《しんし》さに汐路は感心した。

汐路は祥一郎の成長に、少し寂しさも感じている。弟がしっかりと自立した時に姉が感じる寂しさというのは、こんなものかもしれないと思った。

お互いの二週間の話に熱中しているうちに、神保の車は早瀬に入っていた。この地で起こる殺人事件の原因は、全てが明らかになったわけではない。敬次郎の仕掛け、そしてそれに連なる誰かの仕掛けは、まだまだ眠っている。

「歪んだ土地」

「えっ？」

明奈が問い返した。

「なんでもない」

車は、図書館の前に停まった。

「汐ちゃんを送っていこう」

汐路はにっこりと笑って辞退した。

「私は少し歩きたいからいいです」

「スーツケースはどうする？」

「私の勤務があけたら、フィリフィヨンカに車でとりに行きますから」

明奈が横から急いで言った。

「そういうことなら」とフランケンシュタインは、あっさり納得して、フロントウインドウに収まらないほどの大きな顔を赤らめると自分の店に戻っていった。

「それじゃ私は勤務があるから。それから、石丸さんと、モラシさんに連絡しておいた方がいいわよ」

明奈は、いつの間にか、源田のことを『モラシさん』と言うようになっていた。いつも皮肉っぽい笑みを浮かべている源田が、中学生の時に脅されて漏らしたのがよほど印象に残っているらしい。

明奈は、図書館に入っていく。

事情を知らない明奈は、石丸と源田に電話をするように言っていたが、汐路は、二度と石丸に連絡するつもりはない。

なぜ石丸が、あそこまでのことを自分のためにしたのか、今でも解らなかった。源田の言うような『日本型サイコ』とかいうものとは少し違うような気がする。しかし、汐路には、石丸の心を探る勇気は、もうなかった。

汐路は、図書館前にある庭に置かれたベンチに座った。無意識のうちに、目つきのおかしい人があたりにいないのを確認してから携帯電話を取り出し源田の会社の番号を押した。

『お世話になっております。源田工務店でございます』

女性の声がした。家族だけでやっている会社だそうだから、源田の奥さんかもしれない。

源田が手にしていた愛妻弁当に似合う、かわいらしい声だった。

「私、島と申しまして、先日、盗聴器の除去をお願いした者ですが、モラシさんいらっしゃいますか」

言ったあとで、しまったと思った。さっきの姉との会話で源田のことを『モラシさん』と呼んでいたので、つい口に出てしまった。

「すみません、副社長のことをモラシさんなんて呼んでしまって……」

『いえ。いいですよ。いまでも同窓会じゃ、主人は、モラシって呼ばれているようですから』

やはり、源田の奥さんだった。やわらかく、笑みの籠《こ》もった声だった。

「奥様もご存じだったんですか？」

『ええ、まあ……。私が元凶ですから』

汐路は、源田を中学生の時に脅した先輩が誰なのかを知った。

『すみません。今、店の方を呼びだしておりますので、しばらくお待ちください』

電話から保留音が聞こえた。今時、「エリーゼのために」を保留音にしている会社も珍しいと思ったが、いつのまにか汐路は、保留音に合わせてハミングしていた。

源田が電話に出た。

『俺をあだ名で呼んだらしいな』憮然《ぶぜん》とした声だった。『それで、何の用だ』

「一応、日本に戻っているのを連絡しようと思って。当分、早瀬で暮らすことになりましたから。それだけです」

『ああ、そうかい。内装の仕事でもあったら呼んでくれ』

人を小馬鹿にしたような話し方に、採石場の事が思い出された。汐路は、少し意地悪な気分になり、声を潜めると、「源田さん。女の子に脅されて漏らしたんだ」と呟いた。

しばらく間があった。

『……うるせえ……』

一言だけだった。

「いいじゃないですか。奥さんは、ちゃんと責任とったみたいだし」

今度は一言もなく、いきなり電話は切れた。汐路はクスクスと笑いながらベンチから立ち上がった。そのまま早瀬町の商店街に向かう。夕食の買い出しにはまだ早いのか、人通りは少なかった。汐路が歩いていると前から松葉杖《まつばづえ》をついた村上祥一郎がひょこひょこと歩いてきた。汐路の姿を見るとこっそり路地に曲がろうとしたが、汐路が先に声をかけた。

「どうしたの、それ」

「親父に投げ飛ばされた……」

「どうして？」

「突然大声をあげて相手をびびらせるっていう技があったでしょ。汐路さんに教わったやつ。本当にそうなるのか試してみたくなって……」

「まさか、お父さんにつかったの？」

「正面からやるよりも、後ろから突然やった方が効果があるかなって思って、通りを歩いていた親父の背中からこっそり近づいて……。『おんどりゃ』って叫んで肩を摑《つか》んだら、その瞬間に投げ飛ばされてた」

「それで、お父さんは？」

「しょげてる。お袋、怒っちゃって、俺たちの食事を作ってくれなくなるし」

「ばっかねぇ、あんた」

汐路は、あきれて祥一郎の顔を見た。

「だって親父が柔道やってたなんて知らなかったから」

汐路は、肩を落とした。

「ほんっとに、ばっかねぇ……」

祥一郎は、情けなさそうに目をそらすと、松葉杖をつきながらこそこそと路地に入っていった。

家までは、三十分ほどだったが、飛行機と神保の車にずっと座っていて固まった体には、ちょうどいい運動になった。

汐路は門をくぐった。明奈が外の風を通すために、母屋の玄関や戸を開け放っていた。しばらく、母屋を見つめていたが、汐路は、二十年ぶりに家の玄関をくぐった。

居間に使っていた座敷に立ってみた。今まで何かを思い出しそうになっても、無理矢理その記憶を振り払うような生活をしていたせいか、昔のことは、殆《ほとん》ど思い出せなかった。

「罰かな……」

汐路は、深いため息をついた。

階段を上がった。途中に梁《はり》が出ていた。小学生の時には、手をいっぱいに伸ばして届くかどうかだった梁を、背をかがめてよけた。

二階の二間は、汐路と明奈が使っていた続き部屋だった。汐路は、父親が作ってくれた机についた。隣には、やはり手製の本棚があり、小学校二年生の時の教科書や絵本が並んでいた。

机の引き出しを開けてみた。無くなったとばかり思っていたビー玉が、千代紙で折られた見知らぬ古い小箱にきちんと詰められていた。

目をつむると、机から山桜と亜麻仁油の微《かす》かな香りがした。

汐路は、机を見た。

突然、汐路の頭の中にイメージが蘇《よみがえ》った。

……幼稚園の帰りに、お父さんと手を繋《つな》いで材木商の木材置き場に行く。

「もうすぐ汐は、小学生になるだろ。お父さんが机を作ってやるからね」お父さんは笑いながら私を見つめている。「汐の好きな木を選ぶんだ」

小さな私は、積み上げられた柱材や板をなでたり匂いをかいだりしながら、材で迷路のようになった広い置き場のあちこちを回る。

その迷路の奥まった場所で一枚の板を見つける。すべすべしているのに暖かく、少し良い香りがした。

「これ」

私の指さした板を見て、お父さんは、びっくりしたように笑う。

「いい山桜の板を選んだな」

遠く製材の鋸《のこぎり》の音が潮騒《しおさい》のように聞こえてくる。

蘇った記憶は、次々に思い出を呼び覚ます。

……土間で私の机にお母さんが何かを塗っている。

私は、お母さんが、なれない手つきでなんども刷毛《はけ》を動かすのを不思議そうに見つめる。

「これはね、亜麻仁油というの。これを塗るとお父さんが作ってくれた机は何年も長持ちするの」

明奈姉さんも、「三年に一回塗ったら一生持つんだって」と言いながら、少し古くなった自分の机に亜麻仁油を塗っている。

「どうしてお姉ちゃんと私の机は違うの」

明奈姉さんの持つものはなんでも欲しくなる私は、少し不満になる。

「お姉ちゃんが選んだのは桂の木だったからな」土間に座り込んで、私の椅子を作っているお父さんは笑いながら言う。「汐も明も良い木を選んだよ」

汐路は、目を開いた。

二十年近く前に作られた机が目の前にあった。

汐路は、そっと机に顔を伏せ、呟《つぶや》いた。

「ただいま、お父さん。お母さん」

汐路の微かにふるえる肩にそそぐ日の光は、秋の柔らかなものになっていた。

謝辞

本書は、第二十一回横溝正史ミステリ大賞の受賞作品です。上梓するチャンスを与えて下さった選考委員の先生方、予選委員の皆様、事務局の皆様に心よりお礼申し上げます。

また、角川書店、遠藤徹哉氏の長時間にわたるご教示、校正の方々の精緻《せいち》を極めるご指導のおかげで、本書はなんとか読者の皆様にお見せできるレベルになりました。

株式会社セガ・エンタープライゼス(現セガ)、株式会社バーチャルゲームセンター、三菱電機株式会社、株式会社アートゥーンの方々からは、多くのことを学ばせていただきました。これらは、本書を書く上で、なくてはならないものでした。

ありがとうございました。

そうした多くの方のご指導、ご助言がありながらも、事実と異なる点などがありましたら、それは著者の不明と、勝手な思いこみをする性格によるところです。また、物語の展開上、事実とはニュアンスの違う点をどうしても残さざるを得なかった部分もあります。お詫《わ》びいたします。

そして、最後に繰り返しになりますが、

今は、もう、亡き人へ、

そして、今、共にある人へ

解　説

《『長い腕』のテーマは明確。「歪み」である》――北村薫

西上心太

1　横溝正史賞

本書は第二十一回横溝正史ミステリ大賞（注1）受賞作の文庫化である。

現在は長編ミステリの公募新人賞は数多くあるが、かつては江戸川乱歩賞が唯一の賞だった。同賞は、江戸川乱歩が自身の還暦祝賀会の席上で、日本探偵作家クラブ（現・日本推理作家協会）に寄付した百万円を基金として、一九五五年に設けられたものだ。はじめは推理小説界の功労者を顕彰するのが目的であったが、第三回から公募による長編ミステリ小説新人賞へと衣を替え、現在に至っている。

一方、一九七〇年代に入ると国内ミステリを取り巻く状況に大きな変化が生じた。推理小説研究家の山前譲も「この年（筆者注・一九七一年）から、日本ミステリーは右肩上がりの成長を二十世紀が終わるまでつづけたのだった」（『日本ミステリーの100年』光文社）と述べているように、新しい作品が次々と世に現われ活況を呈し始めたのだ。同時に、江戸川乱歩と並び称される大家の復権も静かに始まっていた。

誰あろう横溝正史である。

当時は前年に刊行が始まった全集を除けば、新刊書店で手に入れることができる横溝作品はほんの数冊（『本陣殺人事件』と『蝶々殺人事件』くらいだった）にすぎなかったのだが、角川文庫からそれ以外の名のみ知る名作の数々が次々と復刊され始めたのである。『八つ墓村』、『獄門島』、『悪魔の手毬唄』……。

さらに書籍だけではなく、映画やテレビという他のメディアにまで働きかけ相乗効果を狙った角川書店の戦略は大いに当たり、市川崑《こん》監督による『犬神家の一族』の映画化（注2）もヒットし、空前の横溝正史ブームは一つのピークを迎えたのである。そうして一九八〇年に江戸川乱歩賞に次ぐ公募長編ミステリ新人賞が、横溝正史の名を冠して誕生したのである。第一回には横溝正史本人も選考委員を務め、翌八一年の授賞式には姿を見せたそうだが、惜しくもその年の末に七十九歳の生涯を閉じたのである。

（注1）第二十回までは《横溝正史賞》、本書が受賞した第二十一回から《横溝正史ミステリ大賞》と改称された。
（注2）その後も金田一耕助に石坂浩二を配した市川崑監督作品は『悪魔の手毬唄』『獄門島』『女王蜂』『病院坂の首縊りの家』と矢継ぎ早に製作、公開された。また近年は豊川悦司主演の『八つ墓村』が公開されたことも記憶に新しい。

2　新人賞の舞台裏

前述した通り、現在は数多くの新人賞が存在するが、意外と実態を知らない読者も多いのではないだろうか。一般的に数百編送られてくる応募作は、まず予選委員に配分される（注3）。各予選委員はその中から数編を選び、二次選考に挙げる。今度はその原稿を予選委員が回読（注4）して最終選考に残す作品を四、五作選ぶ。そして最後に最終選考委員が受賞作を決めるのである。すべての受賞作はこの何段階ものピラミッドの頂点に立つ作品なのだ。

奇《く》しくもわたしは第二十一回から横溝正史ミステリ大賞の予選委員を務めており、本作とは二次選考の段階で出会った。新人賞の選考に携る上での喜びはなんといっても、未知の作家志望者の素晴らしい作品と出会えた瞬間である。その作家の最初の読者となることは何物にも代え難いものがあるのだ。しかもこの年はまさしくヴィンテージ・イヤーであった。本作の他に『中空』で優秀賞を得た鳥飼否宇、惜しくも受賞は逃したものの翌年見事に『水の時計』で大賞を射止めることになる初野晴の両名も最終選考に名を連ねていたのだ。甲乙つけがたい作品を選び終え、場所を移したわれわれ予選選考委員は、最終選考委員の面々が良い意味で選考に悩む姿を想像しながら、充実した気分で一献を傾けたことを憶《おぼ》えている。

（注3）一次選考と呼ばれる。賞によって違うが受持ち本数は各自二十編から五十編くらい。
（注4）約十数編。

3　横溝テイスト

さて本作品が刊行された時、角川書店のPR誌「本の旅人」に書評を依頼された。そこでわたしは、戦後に書かれた横溝正史の本格ミステリの特徴について《横溝正史といえばおどろおどろしい雰囲気を第一に連想するかもしれない。しかし草双紙の流れを汲《く》む怪奇趣味は単なる装飾ではない。最高傑作の『獄門島』に顕著だが、横溝正史の本格ミステリの特徴は、日本の土俗的雰囲気と西洋的な明晰《めいせき》な論理と思想という、一見対立する概念の奇跡的な結合にある》と書き、本作品を《大横溝の名を冠した横溝正史賞》にふさわしい《横溝テイストに富んだ受賞作》であると位置づけた。今回あらためて再読し、ますますその思いを強くした次第である。

ヒロインの島汐路は、コンピュータゲーム製作会社ネットワ・テック社に勤める制作スタッフである。彼女が属する制作班のゲームが完成に近づいた今、汐路は退職を決意していた。そんなおりに、他の制作班のディレクターとグラフィック担当のチーフである二人の女性が会社の屋上から転落死してしまう。プロジェクトが行き詰まった末の「無理心中」であった。墜死を目撃した汐路は強いショックを受けてしまう。汐路が幼少のころ、彼女の両親も崖《がけ》から転落死を遂げており、その現場を目撃したことが汐路の心の傷となって残っていたのだった。さらに郷里にいる姉から従姉《いとこ》が教師を務める学校で、女子中学生が同級生を射殺した事件が起きたという連絡を受ける。汐路は二つの事件の加害者が同じアニメのキャラクターを身に着けていたこと、そして彼女の故郷は飛び抜けて殺人事件の発生率が高いことを発見する。会社を退職した汐路は、忌み嫌っていた故郷に帰ることを決意した……。

作者はヒロインと同じく、コンピュータゲーム製作会社に勤務しているという。自分のよく知る世界を取り上げることは良くも悪くも、新人作家がよく用いる手法であるが、本作では成功しているといえるだろう。なかなか様子を知ることができないゲーム業界の制作現場を、物語の導入部に用いて、巧みに読者の興味をそそるのだ。汐路は軽自動車一台に積めるだけの荷物しか持たずに暮らしている。それは一つの職場に長い間とどまることができず、数年で「人生のリセット」のため勤め先を替えるからだ。常に身軽で人間関係のしがらみを厭《いと》う汐路の性格は、技術一本で食っていけるゲーム業界にぴったりではないだろうか。

現代を代表する最先端の職場を描いた前半から、後半は一転して因襲に満ちた汐路の故郷が舞台となる。汐路の性格も息が詰まるような村社会に対する反発から形成されたに違いないだろう。汐路は知りあいになった男子中学生から、射殺事件の二人は一緒にホームページを開いたことを知る。被害者のパソコンに残されたデータを調べた汐路は、インターネットを介した、恐るべき悪意が二人を襲ったことを知るのである。

なおこの汐路の故郷を瀬戸内海を望む愛媛県の田舎町に設定したのも、横溝正史が瀬戸内海の小島や対岸の岡山県を作品の舞台として多用したことと無縁ではないだろう。

故郷を離れた者を「落ち者」と罵《ののし》るような因循姑息《こそく》な土地柄とはいえ、もちろんそこには携帯電話もパソコンもある現代の日本であることに変りはない。この土地が発信地となった悪意も、最先端の利器を使用した極めて現代的な犯罪である。だがいみじくも《『長い腕』のテーマは明確。「歪《ゆが》み」である》と最終選考委員の北村薫が述べたように、犯人のみならず、この小さな田舎町には外の世界以上の「歪み」が存在していたのだ。そしてその「歪み」は町を代表する旧家の「家」そのものに帰結するという奇想には驚きの念を禁じ得ない。さらにその「歪み」を生じさせた遠因は、やはり因循姑息で旧弊な思想に染まった旧時代の日本の村社会にまでさかのぼるのである。

ここに至って読者は「長い腕」という題名から、何世代にも亘《わた》る影響を及ぼすような「歪み」を仕掛けた男の「意志」を読み取ることができるのだ。

最先端の機器を使った犯罪、旧家の誇り、過去と現在、閉塞《へいそく》した町と外の世界。横溝正史が獄門島や鬼首《おにこべ》村を舞台に、戦後の息吹と旧時代の因襲との対立がもたらす悲劇を書いたように、川崎草志は横溝正史の世界を現代に甦《よみがえ》らせたのである。《横溝テイストに富んだ受賞作》という言葉に嘘はない。

4　最後に

なおこのデビュー作以来、沈黙を続けている作者であるが、鋭意二作目を執筆中ということをお伝えしておく。上昇志向の強いエリート警察官が、妻子が犯罪の被害者になったことが原因で、警察を退職し故郷に戻る。男はその地で社会復帰のきっかけになればと、義父から民生委員の職につけられるのだった。だが男は幼児虐待や一家皆殺しという残虐な事件に直面し、さらに彼の妻子を襲いながら不起訴処分になった犯人が退院したという知らせを聞く……、という内容らしい。どうやら日本初の、民生委員が主人公となるミステリとなるようだ。刮目《かつもく》して待たれよ。

二〇〇四年四月

本作品はフィクションであり、実在のいかなる組織・個人とも一切関わりのないことを付記いたします。(編集部)

本書は、二〇〇一年五月に単行本として小社より刊行された作品を文庫化したものです。

長《なが》い腕《うで》

川崎草志《かわさきそうし》

平成16年 5月25日　初版発行
令和6年 8月5日　39版発行

発行者●山下直久

発行●株式会社KADOKAWA
〒102-8177　東京都千代田区富士見2-13-3
電話　0570-002-301（ナビダイヤル）

角川文庫 13343

印刷所●株式会社KADOKAWA
製本所●株式会社KADOKAWA

表紙画●和田三造

●お問い合わせ
https://www.kadokawa.co.jp/（「お問い合わせ」へお進みください）
※内容によっては、お答えできない場合があります。
※サポートは日本国内のみとさせていただきます。
※Japanese text only

ISBN978-4-04-374601-9　C0193

◆◇◇

角川文庫発刊に際して

角川源義

第二次世界大戦の敗北は、軍事力の敗北であった以上に、私たちの若い文化力の敗退であった。私たちの文化が戦争に対して如何に無力であり、単なるあだ花に過ぎなかったかを、私たちは身を以て体験し痛感した。西洋近代文化の摂取にとって、明治以後八十年の歳月は決して短かすぎたとは言えない。にもかかわらず、近代文化の伝統を確立し、自由な批判と柔軟な良識に富む文化層として自らを形成することに私たちは失敗して来た。そしてこれは、各層への文化の普及滲透を任務とする出版人の責任でもあった。

一九四五年以来、私たちは再び振出しに戻り、第一歩から踏み出すことを余儀なくされた。これは大きな不幸ではあるが、反面、これまでの混沌・未熟・歪曲の中にあった我が国の文化に秩序と確たる基礎を齎らすためには絶好の機会でもある。角川書店は、このような祖国の文化的危機にあたり、微力をも顧みず再建の礎石たるべき抱負と決意とをもって出発したが、ここに創立以来の念願を果すべく角川文庫を発刊する。これまで刊行されたあらゆる全集叢書文庫類の長所と短所とを検討し、古今東西の不朽の典籍を、良心的編集のもとに、廉価に、そして書架にふさわしい美本として、多くのひとびとに提供しようとする。しかし私たちは徒らに百科全書的な知識のジレッタントを作ることを目的とせず、あくまで祖国の文化に秩序と再建への道を示し、この文庫を角川書店の栄ある事業として、今後永久に継続発展せしめ、学芸と教養との殿堂として大成せんことを期したい。多くの読書子の愛情ある忠言と支持とによって、この希望と抱負とを完遂せしめられんことを願う。

一九四九年五月三日

角川文庫ベストセラー

145gの孤独　伊岡　瞬

プロ野球投手の倉沢は、試合中の死球事故が原因で現役を引退した。その後彼が始めた仕事「付き添い屋」には、奇妙な依頼客が次々と訪れて……情感豊かな筆致で綴り上げた、ハートウォーミング・ミステリ。

瑠璃の雫　伊岡　瞬

深い喪失感を抱える少女・美緒。謎めいた過去を持つ老人・丈太郎。世代を超えた二人は互いに何かを見いだそうとした……家族とは何か。赦しとは何か。感涙必至のミステリ巨編。

教室に雨は降らない　伊岡　瞬

森島巧は小学校で臨時教師として働き始めた23歳だ。音大を卒業するも、流されるように教員の道に進んでしまう。腰掛け気分で働いていたが、学校で起こる様々な問題に巻き込まれ……傑作青春ミステリ。

代償　伊岡　瞬

不幸な境遇のため、遠縁の達也と暮らすことになった圭輔。新たな友人・寿人に安らぎを得たものの、魔手は容赦なく圭輔を追いつめた。長じて弁護士となった圭輔に、収監された達也から弁護依頼が舞い込む。

本性　伊岡　瞬

他人の家庭に入り込んでは攪乱し、強請った挙句に消える正体不明の女《サトウミサキ》。別の焼死事件を追っていた刑事の下に15年前の名刺が届き、刑事たちは過去を探り始め、ミサキに迫ってゆくが……。

角川文庫ベストセラー

虹を待つ彼女　逸木　裕

少女は夜を綴らない　逸木　裕

ＲＩＫＯ―女神《ヴィーナス》の永遠―　柴田よしき

聖母《マドンナ》の深き淵　柴田よしき

少女達がいた街　柴田よしき

2020年、研究者の工藤は、死者を人工知能化する計画に参加する。モデルは、6年前にゲームのなかで自らを標的に自殺した美貌のゲームクリエイター。謎に包まれた彼女に惹かれていく工藤だったが――。

「人を傷つけてしまうのではないか」という強迫観念をなだめるため、身近な人間の殺害計画を「夜の日記」に綴る中学3年生の理子。秘密を知る少年・悠人に脅され、彼の父親の殺害を手伝うことになるが――。

男性優位な警察組織の中で、女であることを主張し放埒に生きる刑事村上緑子。彼女のチームが押収した裏ビデオには、男が男に犯され殺されていく残虐なレイプが録画されていた。第15回横溝正史賞受賞作。

一児の母となり、下町の所轄署で穏やかに過ごす緑子の前に現れた親友の捜索を頼む男の体と女の心を持つ美女。保母失踪、乳児誘拐、主婦惨殺。関連の見えない事件に隠された一つの真実。シリーズ第2弾。

政治の季節の終焉を示す火花とロックの熱狂が交錯する一九七五年、16歳のノンノにとって、渋谷は青春の街だった。しかしそこに不可解な事件が起こり、2つの焼死体と記憶をなくした少女が発見される……。

角川文庫ベストセラー

月神《ダイアナ》の浅き夢　柴田よしき

若い男性刑事だけを狙った連続猟奇事件が発生。手足、性器を切り取られ木に吊された刑事たち。残虐な処刑を行ったのは誰なのか？　女と刑事の狭間を緑子はひたむきに生きる。シリーズ第3弾。

ゆきの山荘の惨劇
―猫探偵正太郎登場―　柴田よしき

オレの名前は正太郎、猫である。同居人は作家の桜川ひとみ。オレたちは山奥の「柚木野山荘」で開かれる結婚式に招待された。でもなんだか様子がヘンだ。これは絶対何か起こるゾ……。

消える密室の殺人
―猫探偵正太郎上京―　柴田よしき

またしても同居人に連れて来られたオレ。今度は東京だ。強引にも出版社に泊められることとなったオレはまたしても事件に遭遇してしまった。密室殺人？　本格ミステリシリーズ第2弾！

ミスティー・レイン　柴田よしき

恋に破れ仕事も失った茉莉緒は若手俳優の雨森海と出会い、彼が所属する芸能プロダクションへ再就職することに。だが、そのさなか殺人事件が発生。彼女は嫌疑をかけられた海を守るために真相を追うが……。

聖なる黒夜（上）（下）　柴田よしき

広域暴力団の大幹部が殺された。容疑者の一人は美しき男妾あがりの男……それが十年ぶりに麻生の前に現れた山内の姿だった。事件を追う麻生は次第に暗い闇へと堕ちていく。圧倒的支持を受ける究極の魂の物語。

角川文庫ベストセラー

殺意の対談　藤崎翔

人気作家・怜子と若手女優・夏希の誌上対談は、和やかに行われた……表向きは。実は怜子も夏希も、恐ろしい犯罪者としての裏の顔を持っていて……対談と心の声で紡がれる、究極のエンタメミステリ。

お隣さんが殺し屋さん　藤崎翔

専門学校に入学するため、地方から上京してきた美菜は、隣人に挨拶に行くことに。お隣の青年・雄也は長身で、どこか陰のある青年。しかも彼には人に言えない「裏の顔」が……。ユーモアミステリ決定版！

直線の死角　山田宗樹

やり手弁護士・小早川に、交通事故で夫を亡くした女性から、保険金示談の依頼が来る。事故現場を見た小早川は、加害者の言い分と違う証拠を発見した。第18回横溝正史賞大賞受賞作。

魔欲　山田宗樹

広告代理店に勤める佐東は、プレゼンを繰り返す忙しい日々の中、自分の中に抑えきれない自殺衝動が生まれていることに気づく。無意識かつ執拗に死を意識する自分に恐怖を感じ、精神科を訪れるが、そこでは⁉

代体　山田宗樹

意識を自由に取り出し、人が体を乗り換え「健康」に生きる近未来、そこは楽園なのか⁉　意識はどこに宿るのか——永遠の命題に挑む革命的に進歩するＡＩと向き合う現代に問う、サイエンス・サスペンス巨編。